U0224707

前　言

　　计量检测工作是随着时代的发展而不断发展的，检测工作的现实性对计量检测工作提出了更高层面的要求，近年来紧随时代发展潮流，也将科学技术手段应用到了计量检测工作当中去。计量检测在向好的方向发展，但经过仔细推敲不难发现，计量检测过程中仍存在需要改善的方面。只有经过反复实践，不断解决其中的问题，才能推进计量检测质量提升，保障计量检测高效性，促进计量检测行业整体发展。

　　近些年来，随着企业综合水平的日益提高，同时对检测质量也提出了更为苛刻的要求。检测结果要有更高的精准度才能符合市场对检测实验室的需求，加强检测实验室设备计量管理能够获取准确的数据，才能够确保检测质量。本书从计量基础介绍入手，针对计量学、测量仪器进行了分析研究；另外，本书对质量测量、涂料分析与检测、胶黏剂分析与检测做了一定的介绍，还对实验室管理与建设、检测实验室质量管理体系做了研究。本书不仅能够为计量检测提供翔实的理论知识，同时还能为实验室管理相关理论的深入研究提供借鉴。

　　在本书的策划和写作过程中，作者参阅了国内外有关的大量文献和资料，从中得到启示；同时也得到了有关领导、同事、朋友及学生的大力支持与帮助，在此致以衷心的感谢。本书的选材和写作还有一些不尽如人意的地方，加上作者学识水平和时间所限，书中难免存在缺点，敬请同行、专家及读者指正，以便进一步完善提高。

目　录

计量概述

第一节　计量学概述

一、量和单位

（一）量和量值

1. 量

（1）量的概念

自然界的任何现象、物体或物质都以一定的形态存在，并分别具有一定的特性，这些特性通常是通过量来表征的。

量（Quantity）是指现象、物体或物质的特性，其大小可用一个数和一个参照对象表示。例如，物体有冷热的特性，温度是一个量，它表示了物体冷热的程度。经测量得到某一杯水的温度为30℃，这个特定量的大小表示了水温的高低，它是由数字"30"及一个参照对象"摄氏度"表示的。

在表示量的大小时，参照对象可以是一个计量单位、测量程序、标准物质或其组合。

由约定测量程序定义的、与同类的其他量可按大小排序的量称为序量（ordinal quantity）。例如，洛氏 C 标尺硬度、石油燃料辛烷值、里氏标尺地震强度。序量只能写入经验关系式，它不具有计量单位或量纲。序量之间无代数运算关系，序量的差值或比值没有物理意义。序量按序量值标尺排序。

这里定义的量是指标量。然而对于各分量是标量的向量或矢量，也可认为是量。"量"

一般可分为物理量、化学量和生物量，或分为基本量和导出量。

在计量学中把可直接相互进行比较的量称为同种量，如宽度、厚度、周长、波长为同种量，这些量的种类属于长度量。若干同种量组合在一起称为同类量，如功、热量、能量。

（2）量的符号

量的符号应执行国家标准《量和单位》的现行有效版本，通常是用单个拉丁字母或希腊字母表示，如面积的符号为 A 、波长的符号为 λ 等。一个给定的符号可以表示不同的量，如符号 Q 既表示电荷也表示热量。量的符号必须用斜体表示，如质量 m 、电流 I 等。

在某些情况下，不同量有相同的符号或对同一个量有不同的应用或要表示不同的值时，可采用下标予以区分。如电流与发光强度是两个不同的量，电流用符号 I 表示，发光强度用 I_v 表示。量的符号的下标可以是单个或多个字母，也可以是阿拉伯数字、数学符号、元素符号、化学分子式。

下标字体的表示原则为：用物理量的符号及用表示变量、坐标和序号的字母作为下标时，用斜体，其他情况时下标用正体。

（3）基本量和导出量

计量学中的量可分为基本量和导出量。

基本量（Base Quantity）是指在给定量制中约定选取的一组不能用其他量表示的量。在国际单位制中有长度、质量、时间、电流、热力学温度、物质的量和发光强度七个基本量。这些基本量可认为是相互独立的量，因为它们不能表示为其他基本量的幂的乘积。

导出量（Derived Quantity）是指量制中由基本量定义的量。导出量是通过基本量的相乘或相除得到的量。例如，在以长度和质量为基本量的量制中，质量密度是导出量。又如国际单位制中的速度是导出量，它是由基本量长度除以时间来定义的。此外，如力、压力、能量、电位、电阻、摄氏温度、频率等都属于导出量。

2. 量值

（1）量值的含义

量值（Quantity Value）全称为量的值，是指用数和参照对象一起表示的量的大小。

量值与量的关系：量是指现象、物体和物质的特性，量值是指量的大小。量值可用一个数和一个参照对象一起表示。表示量值时必须同时说明其所属的特定量。量值的表示形式为：冒号前为特定量的名称，冒号后为该特定量的量值。例如：①给定标尺的长度：6.14m 或 614cm。②在给定频率上给定电路组件的阻抗（其中 j 是虚数单元）：$(7+3j)$ Ω。③给定样品的洛氏 C 标尺硬度（150kg 负荷下）：43.5HRC（150kg）。

量值由数和参照对象组成。量值中的参照对象可以有不同类型，可以是计量单位、测量程序、标准物质或其组合。在上述举例中，①中参照对象是计量单位，表示的量值是一个数和一个计量单位的乘积。②中参照对象是测量程序。③中参照对象是标准物质。当量纲为一、测量单位为 1 时，量值中通常不表示出参照对象。

量值中的数可以是复数，如上述②中给定电路组件的阻抗的量值为 $(7+3j)$ Ω。一个量值可用多种方式表示，如上述①中标尺的长度可分别用米或厘米为单位表示，表示的参照对象不同则数值会不同，但量值仍然不变。对向量或张量，每个分量有一个量值，例如，作用在给定质点上的力，用笛卡儿坐标分量表示为：$(F_x；F_y；F_z)=(-31.5；43.2；17.0)$N。

（2）量值的正确表达

应该正确表达量值，如 18~20℃ 或 $(18~20)$℃、180~240V 或 $(180~240)$ V，但不能表示为 18~20℃、180~240V，因为 18 和 180 是数字，不能与量值等同使用。打印时，在数字与参照对象间应留有空格，例如 35.4mm 不应该是 35.4mm。

（二）量制、量纲和量纲为一的量

1. 量制

在科学技术领域中，有许多种量，有不同的量制。量制（System Of Quantities）是指彼此间由非矛盾方程联系起来的一组量，量制是在科学领域中约定选取的基本量和与之存在确定关系的导出量的特定组合。通常以基本量符号的组合作为特定量制的缩写名称，例如基本量为长度（l）、质量（m）和时间（t）的力学量制的缩写名称为 l、m、t 量制。与联系各量的方程一起作为国际单位制基础的量制称为国际量制（ISQ）。各种序量（如洛氏 C 标尺硬度）通常不认为是量制的一部分，因它仅通过经验关系与其他量相联系。

2. 量纲

量纲（Dimension Of A Quantity）是指给定量与量制中各基本量的一种依从关系，它用与基本量相应的因子的幂的乘积去掉所有数字因子后的部分表示。量纲是一个量的表达式，在实际工作中，任何科技领域中的规律、定律，都可通过各有关量的函数式来描述。通过量纲可以检验量的表达式是否正确，如果一个量的表达式正确，则其等号两边的量纲必然相同，通常称它为"量纲法则"。

因子的幂就是按指数增加的因子。每个因子是一个基本量的量纲。基本量量纲的约定符号是单个大写正体罗马字母。

导出量量纲的约定符号是由该导出量定义的基本量量纲的幂的乘积表示。量 Q 的量纲表示为 $\dim Q$。例如，在国际量制中，力（量的符号 F）的量纲表示为 $\dim F = \mathrm{LMT}^{-2}$；在同一量制中，$\dim Q_B = \mathrm{ML}^{-3}$ 是成分 B 的质量浓度的量纲，也是质量密度（体积质量）的量纲。

由此，量 Q 的量纲为 $\dim Q = \mathrm{L}^\alpha \mathrm{M}^\beta \mathrm{T}^\gamma \mathrm{I}^\delta \Theta^\varepsilon \mathrm{N}^\xi \mathrm{J}^\eta$，其中的指数 α、β、γ、δ、ε、ξ 和 η 称

为量纲指数，可以是正数、负数或零。在导出某量的量纲时不考虑标量、向量或张量特性。

量纲仅表示量的构成，而不表示量的性质。在给定量制中，同类量具有相同的量纲，不同量纲的量通常不是同类量，但具有相同量纲的量不一定是同类量。如在国际量制中，功和力矩具有相同的量纲：$L^2 MT^{-2}$，但它们是完全不同性质的量。

3. 量纲为一的量

量纲为一的量（quantity of dimension one）又称无量纲量（dimensionless quantity），是指在其量纲表达式中与基本量相对应的因子的指数均为零的量。

量纲为一的量的测量单位和值均是数，但是这样的量比一个数表达了更多的信息。某些量纲为一的量是以两个同类量之比定义的，例如，立体角、折射率、质量分数、摩擦系数等。此外，实数是量纲为一的量，例如，线圈的圈数、给定样本的分子数、量子系统能级的衰退。

人们常习惯使用术语"无量纲量"，其实这些量并不是没有量纲，只是因为在这些量的量纲符号表达式中所有指数均为零，而"量纲为一的量"则反映了约定以符号 1 作为这些量的量纲符号表达式。由于任何指数为零的量皆等于 1，所以无量纲量也就是量纲为一的量。

（三）计量（测量）单位和单位制

计量单位（Measurement Unit）又称测量单位，简称单位，是指根据约定定义和采用的标量，任何其他同类量可与其比较使两个量之比用一个数表示。计量单位用约定赋予的名称和符号表示。法定计量单位（Legal Unit Of Measurement）是指国家法律、法规规定使用的测量单位，是政府以法令的形式，明确规定在全国范围内采用的计量单位。

《国务院关于在我国统一实行法定计量单位的命令》要求逐步废除非法定计量单位。《中华人民共和国计量法》明确规定："国家实行法定计量单位制度。国际单位制计量单位和国家选定的其他计量单位，为国家法定计量单位。国家法定计量单位的名称、符号由国务院公布。因特殊需要采用非法定计量单位的管理办法，由国务院计量行政部门另行制定。"因此国际单位制是我国法定计量单位的主体，国际单位制若有变化，我国法定计量单位也将随之变化。实行法定计量单位，对我国国民经济和文化教育事业的发展、推动科学技术的进步和扩大国际交流都有重要意义。

1. 国际单位制

（1）国际单位制的特点

单位制（system of unit）又称计量单位制，是指对于给定量制的一组基本单位、导出单位、其倍数单位和分数单位及使用这些单位的规则。同一个量制可以有不同的单位制，因基本单位选取的不同，单位制也就不一样。

国际单位制（International System of Units）缩写为 SI，是指由国际计量大会（CGPM）批准采用的基于国际量制的单位制，包括单位名称和符号、词头名称和符号及其使用规则。国际单位制（SI）是一贯性原则。由数字因数为 1 的基本单位幂的乘积来表示的导出计量单位，叫一贯计量单位，而 SI 的全部导出单位均为一贯计量单位，从而使符合科学规律的量的方程与数值方程相一致。SI 是在科技发展中产生的，也将随着科技的发展而不断完善。

（2）国际单位制的构成

①SI 基本单位

要建立一种计量单位制，首先要确定基本量，即约定在函数关系上彼此独立的量。SI 选择了长度、质量、时间、电流、热力学温度、物质的量和发光强度七个基本量，并给基本量的计量单位规定了严格的定义。

米：光在真空中于 1/299 792 458s 的时间间隔内所经过路径的长度。

千克：等于国际千克原器的质量。

秒：铯-133 原子基态的两个超精细能级之间跃迁所对应的辐射的 9 192 631 770 个周期的持续时间。

安［培］：在真空中，截面积可忽略的两根相距 1m 的无限长平行圆直导线内通以等量恒定电流时，若导线间相互作用力在每米长度上为 2×10^{-7}N，则每根导线中的电流为 1A。

开［尔文］：水三相点热力学温度的 1/273.16。水的三相点是指水的固态、液态和气态三相间平衡时所具有的温度。水的三相点温度为 0.01℃。水的三相点温度和三相点压力是唯一确定的。

摩［尔］：一个系统的物质的量，该系统中所包含的基本单元（原子、分子、离子、电子及其他粒子，或这些粒子的特定组合）数与 0.012kg 碳-12 的原子数目相等。在使用摩［尔］时应指明基本单元，可以是原子、分子、离子、电子及其他粒子，或是这些粒子的特定组合。

坎［德拉］：一光源在给定方向上的发光强度，该光源发出频率为 540×10^{12}Hz 的单色辐射，且在此方向上的辐射强度为（1/683）W/sr。其中频率 540×10^{12}Hz 的辐射波长为 555nm 的波是人眼感觉最灵敏的波长。

②SI 导出单位

SI 导出单位是一贯制单位，通过数字因数为 1 的量的定义方程式由 SI 基本单位导出，并由 SI 基本单位以代数形式表示的单位。

为了读写和实际应用的方便，以及便于区分某些具有相同量纲和表达式的单位，国际计量大会通过了一些具有专门名称和符号的导出单位。初期仅选用了 19 个，后来增加弧度和球面度 2 个辅助单位，具有专门名称和符号的 SI 导出单位达到了 21 个。

③SI 词头

上述的 SI 单位，在实际应用中往往会感到许多不便。比如用千克来表示原子的 SI 质量则太大，而用千克表示地球的质量则又太小。于是便确定了一系列十进制的词头，以便构成十进倍数与分数单位，从而使单位相应地变大或变小，以满足不同的需要。

④SI 单位的十进倍数与分数单位

倍数单位（multiple of a unit）是指给定计量单位乘以大于 1 的整数得到的计量单位。分数单位（submultiple of a unit）是指给定计量单位除以大于 1 的整数得到的计量单位。由 SI 词头加在 SI 单位之前构成的单位，称为 SI 单位的倍数单位（十进倍数与分数单位）。唯一的例外就是千克（kg），它是 SI 单位而不是 SI 单位的倍数单位，这是历史原因造成的；而 SI 质量单位的十进倍数与分数单位则是"克"（g）前加 k 以外的词头构成。

2. 我国法定计量单位

我国法定计量单位是以国际单位制的单位为基础，结合我国的实际情况，适当选用了一些其他单位构成的。

（1）我国法定计量单位的构成

我国法定计量单位的具体构成如下：①国际单位制的基本单位；②国际单位制的辅助单位；③国际单位制中具有专门名称的导出单位；④国家选定的非国际单位制单位；⑤由以上单位构成的组合形式的单位；⑥由词头和以上单位所构成的十进倍数和分数单位。

大多都是从国际计量委员会考虑到某些国家和领域的实际情况而公布的、可以与国际单位制并用或暂时保留与国际单位制并用的单位制中选取的，具有较好的国际适用性。

（2）法定计量单位使用方法

1984 年 6 月，原国家计量局发布了《中华人民共和国法定计量单位使用方法》，1993 年原国家技术监督局发布了修订后的国家标准 GB 3100—1993《国际单位制及其应用》、GB 3101—1993《有关量、单位和符号的一般原则》、GB 3102—1993《量和单位》。这些为准确使用我国法定计量单位做出了规定和要求。贯彻执行我国法定计量单位必须注意法定计量单位的名称、单位和词头符号的正确读法和书写，正确使用单位和词头。

二、测量

（一）测量概述

测量是人类认识和揭示自然界物质运动的规律、借以定性区别和定量描述周围物质世界，从而达到改造自然和改造世界的一种重要手段。按《通用计量术语及定义》（JJF 1001—2011）中的定义，测量（Measurement）就是通过实验获得并可合理赋予某量一个或多个量值的过程。测量不适用于标称特性，它意味着量的比较并包括实体的计数。测量的先决条件是对与测量结果预期用途相适应的量的描述、测量程序以及根据规定测量程序（包括测量条件）进行操作的经校准的测量系统。在计量学中，测量既是核心的概念，又是研究的对象。人们有时把测量也称为计量，例如把测量单位称为计量单位、把测量标准称为计量标准等。

随着人类社会和科学技术的高度发展，人类认识自然的能力不断提高，测量对象不再局限于物理量，还可以对化学量、工程量、生物量等进行定性区别和定量确定，测量范围不断扩大，测量不确定度不断提高，还出现了动态测量、在线测量、综合测量以及在严酷环境下的特殊测量。测量的概念更为宽广，其应用的范围及内容更为丰富。

1. 测量过程

测量活动是一个过程。所谓"过程"是指一组将输入转化为输出的相互关联或相互作用的活动。输入是过程的依据和要求（包括资源）；输出是过程的结果，是由有资格的人员通过充分适宜的资源所开展的活动将输入转化为输出；"相互关联"反映过程中各项活动间的互相联系、顺序和接口；"相互作用"反映过程中各环节的相互影响和关系。测量过程是由根据输入的测量要求，经过测量活动，得到并输出测量结果的全部活动。测量过程的三个要素是：①输入：确定被测量对象及对测量的要求。②测量活动：对所需要的测量进行策划，从测量原理、测量方法到测量程序；配备资源，包括适宜的且具有溯源性的测量设备，选择和确定具有测量能力的人员，控制测量环境，识别测量过程中影响量的因素，实施测量操作。③输出：按输入的要求给出测量结果，出具证书和报告。

"量"作为一个概念，有广义量和特定量之分。广义量是从无数特定同种量中抽象出来的量，如温度、容积、长度等；而特定量是特指的某被测对象的量，只有可测量的特定量才能进行测量。测量时，受测量的物体、现象或状态称为被测件或被测对象。被测量有时指受测量的特定量，如水的温度、容器的容积等。

按测量的目的提出测量要求，包括对被测量的详细要求、对影响量的要求、对测量不确定度和测量结果的表达形式的要求等。确定了被测量和测量要求后，选择测量原理、测量方法和测量设备，确定测量人员，制定测量程序和开展测量活动。

2. 测量原理

测量原理（Measurement Principle）是指用作测量基础的现象。它是指测量所依据的自然科学中的定律、定理和得到充分理论解释的自然效应等科学原理。例如，在力的测量中应用的牛顿第二定律，在电学测量中应用的欧姆定律，在温度测量中应用的热电效应，都属于测量原理。正确地运用测量原理，是保证测量准确可靠的科学基础。实际上，测量结果能否达到预期的目的，主要取决于所应用的原理。如在长度测量中，应用激光干涉方法不仅改善了测量不确定度，而且极大地扩展了测量范围。

3. 测量方法

测量方法（Measurement Method）是指对测量过程中使用的操作所给出的逻辑性安排的一般性描述。即根据给定测量原理实施测量时，概括说明的一组合乎逻辑的操作顺序，测量方法就是测量原理的实际应用。例如，根据欧姆定律测量电阻时，可采用伏安法、电桥法及补偿法等测量方法；在采用电桥法时，又可分为替代法、微差法及零位法等。由于测量的原理、运算和实际操作方法的不同，通常会有多种多样的测量方法。

（1）直接测量法和间接测量法

这是根据量值取得的不同方式来进行分类的。直接测量法是指不必测量与被测量有函数关系的其他量，测量结果可通过测量直接获得的测量方法。大多数情况下采用直接测量法，测得结果是由测量仪器的示值直接给出。间接测量法是指通过测量与被测量有函数关系的其他量，从而得到被测量值的一种测量方法。

（2）基本测量法和定义测量法

通过对一些有关基本量的测量，以确定被测量值的测量方法称为基本测量法，也叫绝对测量法。根据量的单位定义来确定该量的测量方法称为定义测量法，这是按计量单位定义复现其量值的一类方法，这种方法既适用于基本单位也适用于导出单位。

（3）直接比较测量法和替代测量法

将被测量的量值直接与已知其值的同一种量相比较的测量方法称为直接比较测量法。如标准量块的长度测量，在等臂天平上测量砝码等。这种方法有两个特点：一是必须是同一种量才能比较；二是要用比较式测量仪器。采用这种方法，许多误差分量由于与标准的同方向增减而相互抵消，从而获得较高的测量不确定度。将选定的且已知其值的同种量替代被测量，使在指示装置上得到相同效应以确定被测量值的一种测量方法称为替代测量法。

（4）微差测量法和符合测量法

将被测量与同它只有微小差别的已知同种量相比较，通过测量这两个量值间的差值以确定被测量值的一种测量方法称为微差测量法。用观察某些标记或信号相符合的方法来测量出被测量值与作为比较标准用的同一种已知量值之间微小差值的一种测量方法称为符合测量法。

（5）补偿测量法和零值测量法

补偿测量法是指将测量过程做特定安排，使一次测量中包含有正向误差，而在另一次测量中包含有负向误差，这样测量结果中大部分误差能互相补偿而消去。调整已知其值的一个或几个与被测量有已知平衡关系的量，通过平衡原理确定被测量值的一种测量方法称为零值测量法，也称为平衡测量法，例如，用电桥测量电阻就是采用这种方法。

当然，按测量的特点和方式，测量又可分为接触测量和非接触测量、动态测量和静态测量、模拟测量和数字测量、手动测量和自动测量等。

4. 测量程序

测量程序（measurement procedure）是指根据一种或多种测量原理及给定的测量方法，在测量模型和获得测量结果所需计算的基础上，对测量所做的详细描述。测量程序是根据给定的方法实施对某特定量的测量时，所规定的具体、详细的操作步骤；通常记录在文件中，并且足够详细。相当于通常所说的操作方法、操作规范、操作规程、作业指导书等文件，测量程序应确保测量的顺利进行。测量程序也被称为测量方法，但两者实际是有区别的。

测量原理、测量方法、测量程序是实施测量时的三个重要因素。测量原理是实施测量过程中的科学基础，测量方法是测量原理的实际应用，而测量程序是测量方法的具体化。

5. 测量资源的配置和测量影响量的控制

测量资源包括测量人员、测量所需的测量仪器及其配套设备、测量所需的环境条件及设施，测量方法的规范、规程或标准以及有关文件。为了获得准确可靠的测量、减少测量误差，减小测量不确定度，必须科学评估影响量对测量结果的影响，对测量中明显影响测量结果的环境条件及其他各种因素，要采取控制措施。

6. 测量结果

测量结果是测量过程的输出，是经过测量所得到的被测量的值，完整的测量结果应当包括有关测量不确定度信息，必要时还应说明有关影响量的取值范围。

把测量活动作为测量过程来看待，有利于理解测量中的各项要素，识别测量要求，明确测量的资源、流程、接口、关系及相互作用，也有利于实施对测量活动的管理和监控。

（二）　测量的作用

测量是人们认识世界、改造客观世界的重要手段。测量是科学技术的基础，正如著名科学家门捷列夫所说："没有测量，就没有科学。"科学从测量开始，每一种物质和现象，只有通过测量才能真正认识。测量与国民经济、社会发展和人民生活有着十分密切的关系，测量是工业生产的重要手段，测量是掌握资源财富数量的关键途径，测量是维护国内和国际社会经济秩序的重要保证，因此测量具有十分重要的地位与作用。

三、计量

（一）计量的内涵

计量（Metrology）是指实现单位统一、量值准确可靠的活动。该定义明确了计量的目的及其基本任务是实现单位统一和量值准确可靠，其内容是为实现这一目的所进行的各项活动，这一活动范围十分广泛，它涉及工农业生产、科学技术、法律法规、行政管理等，通过计量所获得的测量结果是人类活动中最重要的信息源之一。计量的最终目的就是为国民经济和科学技术的发展服务。

（二）计量的特点

计量具有以下四个方面的特点。

1. 准确性

准确性是指测量结果与被测量真值的接近程度。它是开展计量活动的基础，只有在准确的基础上才能达到量值的一致。由于实际上不存在完全准确无误的测量，因此在给出测量结果量值的同时，必须给出其测量不确定度（或误差范围）。所谓量值的"准确"，是指在一定的不确定度、误差极限或允许误差范围内的准确。只有测量结果的准确，计量才具有一致性，测量结果才具有使用价值，才能为社会提供计量保证。

2. 一致性

计量的基本任务是保证单位的统一与量值的一致，计量单位统一和单位量值一致是计量一致性的两个方面，单位统一是量值一致的前提。量值一致是指量值在一定不确定度内的一致，是在统一计量单位的基础上，无论在何时、何地，采用何种方法，使用何种测量仪器，以及由何人测量，只要符合有关的要求，其测量结果就应在给定的区间内一致，测量结果是可重复、可再现（复现）、可比较的。通过量值的一致性可证明测量结果的准确可靠。计量的实质是对测量结果及其有效性、可靠性的确认，否则，计量就失去其社会意义。国际计量组织非常关注各国计量的一致性，会采取一些例如开展国际关键比对和辅助比对等措施，验证各国的测量结果在等效区间或协议区间内的一致性。

3. 溯源性

为了实现量值一致，计量强调"溯源性"。溯源性是确保单位统一和量值准确可靠的重要途径。溯源性指任何一个测量结果或计量标准的量值，都能通过一条具有规定不确定度的连续比较链，与计量基准联系起来。这种特性使所有的同种量值，都可以按这条比较链通过校准向测量的源头追溯，即溯源到同一个计量基准（国家基准或国际基准），或通过检定按比较链进行量值传递。

4. 法制性

古今中外，计量都是由政府纳入法制管理，确保计量单位的统一，避免不准确、不诚实的测量带来的危害，以维护国家和消费者的权益。计量的社会性本身就要求有一定的法制性来保障，不论是计量单位的统一，还是计量基准的建立，制造、修理、进口、销售和使用计量器具的管理、量值的传递、计量检定的实施等，不仅依赖于科学技术手段，还要有相应的法律、法规，依法实施严格的计量法制监督。特别是对国民经济有明显影响、涉及公众利益和可持续发展或需要特殊信任的领域，必须由政府建立起法制保障。否则，计量的准确性、一致性就不可能实现，计量的作用也难以发挥。

（三）计量的分类

计量活动涉及社会的各个方面。国际上有一种观点，按计量的社会功能，把计量大致分为三个组成部分，即法制计量、科学计量、工业计量（又称工程计量），分别代表以政府为主导的计量社会事业、计量的基础和计量应用三个方面。

1. 法制计量

法制计量是计量的一部分，是计量工作的重要方面。计量作为社会事业，政府管理的重点则在制定与实施计量法律法规并依法进行计量监督上，也就是说，法制计量是政府及法定计量检定机构的工作重点。在国民经济、社会生活中，存在着有利害冲突的计量，法制计量的目的是要解决由于不准确、不诚实测量所带来的危害，以维护国家和人民的利益。当前国际社会公认的法制计量领域即为我国计量法所规定的贸易结算、安全防护、医疗卫生、环境监测等领域。随着可持续发展的战略提出，各国对资源越来越重视，资源控制也将纳入依法管理的范围。因此法制计量的领域是随经济发展而变化的。

《通用计量术语及定义》（JJF 1001—2011）中指出，法制计量（Legal Metrology）是指为满足法定要求，由有资格的机构进行的涉及测量、测量单位、测量仪器、测量方法和测量结果的计量活动，它是计量学的一部分。在这个定义中，主要讲了法制计量所涉及的工作内容及执行方法。法制计量的内容主要包括：计量立法、统一计量单位、测量方法、计量器具和测量结果的控制、法定计量检定机构及测量实验室管理等。法制计量是政府行为，是政府的职责。

2. 科学计量

科学计量是科技和经济发展的基础，也是计量的基础，它是指基础性、探索性、先行性的计量科学研究，通常用最新的科技成果来精确地定义与实现计量单位，并为最新的科技发展提供可靠的测量基础。科学计量是计量技术机构的主要任务，包括计量单位与单位制的研究、计量基准与标准的研制、物理常数与精密测量技术的研究、量值传递和量值溯源系统的研究、量值比对方法与测量不确定度的研究。当然也包括对测量原理、测量方法、测量仪器的研究，以解决有关领域准确测量的问题，开展动态、在线、自动、综合测量技术的研究，开展新的科学领域中量值溯源方法的研究，提高测量人员测量能力的研究，联系生产实际开展与提高工业竞争能力有关的计量测试课题的研究，以及涉及法制计量和计量管理的研究等。科学计量是实现单位统一、量值准确可靠的重要保障。

3. 工业计量

工业计量也称为工程计量，一般是指工业、工程、生产企业中的实用计量。因此计量已成为生产活动中不可缺少的部分，成为企业的重要技术基础。"工业计量"的含义具有广义性，并不是指单纯的工业领域，广义的是指除了科学计量、法制计量以外的其他计量测试活动，它是涉及应用领域的计量测试活动的统称，涉及社会生活的各个领域，在生产和其他各种过程中的应用计量技术均属于工业计量的范畴。"工业计量"一词是我国对这些计量测试活动的一种习惯用语，涉及建立企业计量检测体系，开展各种计量测试活动，建立校准、测试服务市场，发展仪器仪表产业等方面。工业计量测试能力实际上也是一个国家工业竞争力的重要组成部分，在以高技术为基础的经济构架中显得尤为重要。

四、计量学

（一）计量学概念

从科学的发展来看，计量曾经是物理学的一部分，后来随着领域和内容的扩展，形成了一门研究测量理论和实践的综合性科学，成为一门独立的学科——计量学。按《通用计量术语及定义》（JJF 1001—2011）中的定义，计量学（Metrology）是测量及其应用的科学，计量学涵盖有关测量的理论与实践的各个方面。计量学研究的对象涉及有关测量的各个方面，如：可测的量；计量单位和单位制；计量基准、标准的建立、复现、保存和使用；测量理论及其测量方法；计量检测技术；测量仪器（计量器具）及其特性；量值传递和量值溯源，包括检定、校准、测试、检验和检测；测量人员及其进行测量的能力；测量结果及其测量不确定度的评定；基本物理常数、标准物质及材料特性的准确测定；计量法制和计量管理，以及有关测量的一切理论和实际问题。

计量学作为一门科学，它同国家法律、法规和行政管理紧密结合的程度是其他学科所无法比拟的。计量学有时简称计量，是科学技术和管理的结合体，它包括计量科技和计量管理两个方面，两者相互依存、相互渗透，即计量管理工作具有较强的技术性，而计量科学技术中又涉及较强的法制性。因此，计量科学的研究不仅涉及有关计量科学技术，同时涉及有关法制计量和计量管理的内容。

（二）计量学的范围

计量学应用的范围十分广泛，人们从不同角度，对计量学进行过不同的划分。按计量应用的范围，即按社会服务功能划分，通常把计量分为法制计量、科学计量和工业计量。我国目前按专业，把计量分为十大类计量，即几何量计量、热学计量、力学计量、电磁学计量、电子学计量、时间频率计量、电离辐射计量、声学计量、光学计量、化学计量。

1. 几何量计量

几何量计量在习惯上又称长度计量。其基本参量是长度和角度。按项目分类，包括线纹计量、端度计量、线胀系数、大长度计量、角度计量、表面粗糙度、齿轮、螺纹、面积、体积等，也包括形位参数（直线度、平面度、圆度、垂直度、同轴度、平行度、对称度等计量）。以及空间坐标计量、纳米计量等。几何量计量的应用十分广泛，绝大部分物理量都是以几何量信息的形式进行定量描述的，在计量单位中占有重要地位。

2. 热学计量

热学计量主要包括温度计量和材料的热物性计量。温度计量按国际实用温标划分可分为高温计量、中温计量和低温计量。热物性是重要的工程参量，热物性计量包括导热系数、热膨胀、热扩散、比热容和热辐射特性等方面。通常在工业自动化生产过程中，温度、压力、流量是三个常用的热工量参数。为了与实际应用相结合，通常把压力、真空和流量放入热学计量部分，而把这一部分称为"热工计量"，但按专业划分，即按"量和单位"分类划分，压力、真空和流量应属于力学量。有时把热物性计量纳入化学计量中，热学计量则简称为温度计量。

3. 力学计量

力学计量作为计量科学的基本分支之一，其内容极为广泛。力学计量涉及的领域包括质量计量、容量计量、力值计量、压力计量、真空计量、流量计量、密度计量、转速计量、扭矩计量、振动和冲击计量、重力加速度计量等，也包括表征材料力学性能的硬度计量等技术参量。力学计量是计量学中发展最早的分支之一，古代"度量衡"中的"量"和"衡"就是现在所谓的容量计量和质量计量。随着现代工业生产和社会经济的发展，特别是近代物理学和计算技术的发展，力学计量的研究内容和手段在不断地扩充和扩展。

4. 电磁学计量

电磁学计量的内容十分广泛，其分类方法也多种多样。按学科可分为电学计量和磁学计量；按工作频率可分为直流电计量和交流电计量两部分。电磁计量所涉及的专业范围包括直流和1MHz以下交流的阻抗和电量、精密交直流测量仪器仪表、模数/数模转换技术和交流、直流比例技术、磁学量、磁性材料和磁记录材料、磁测量仪器仪表以及量子计量等。电学计量包括交直流电压、交直流电流、电能、电阻、电容、电感、电功率等计量。磁学计量包括磁通、磁矩、磁感应强度等磁学量的计量。电磁计量具有较高的准确度、灵敏度，能够实现连续测量，便于记录和进行数据处理，并可实施远距离测量，人们越来越多地将各种非电量转换为电磁量进行测量。

5. 电子学计量

电子学计量习惯上又称为无线电计量。从电子学计量覆盖的频率范围看，包括超低频、低频、高频、微波计量、毫米波和亚毫米波以及整个无线电频段各种参量的计量。无线电计量需要测量的参数众多，大致可以分为两类：表征信号特征的参量，如电压、电流、功率、电场强度、磁场强度、功率通量密度、频率、波长、波形参数、脉冲参量、失真、调制度（调幅、调频、调相）、频谱参量、噪声等；表征网络特性的参量，如集总参数电路参量（电阻、电导、电抗、电纳、电感、电容）、反射参量（阻抗、电压驻波比、反射系数、回波损失）、传输参量（衰减、相移、增益、时延）以及电磁兼容性等。电子学计量发展迅速，随着电子技术及通信技术的迅猛发展和智能型测量仪器、自动测试仪器的广泛应用，电子学计量在计量工作中发挥了越来越重要的作用。

6. 时间频率计量

时间频率计量所涉及的是时间和频率量，时间是基本量，而频率是导出量。时间计量的内容包括时刻计量和时间间隔计量。频率计量的主要对象是对各种频率标准（简称频标）、晶体振荡器和频率源的频率准确度、长期稳定度、短期稳定度以及相位噪声的计量，以及对频率计数器的检定或校准。

7. 电离辐射计量

电离辐射计量的主要任务是三个：一是测量放射性本身有多少的量，即测量放射性核素的活动；二是测量辐射和被照介质相互作用的量；三是中子计量。电离辐射计量应建立放射性活度，X、γ射线吸收量，X、γ射线照射量和中子注量等计量基准和标准，开展对标准辐射源、医用辐射源、活度计、X谱仪、γ谱仪、比释动能测量仪、剂量计、照射量计、注量测量仪、电离辐射防护仪等测量仪器的检定和校准。电离辐射计量广泛应用于科学技术研究、核动力、核燃料、工农业生产、生物学、医疗卫生、环境保护、安全防护、资源勘探、军事国防等各个领域和部门。

8. 声学计量

声学计量包括超声、水声、空气声的各项参量的计量，声压、声强、声功率是其主要参量，还包括声阻、声能、传声损失、听力等计量。这些参量的测量和研究是声学计量技术的基础。声学计量包括空气声声压计量、超声声强和声功率计量、水声声压计量、听觉计量和机械噪声声功率及噪声声强计量。声学计量在量值传递、溯源过程中，所检定或校准的对象有传声器、声级计、听力计、超声功率计、水听器、标准噪声源及医用超声源、超声探伤仪、超声测厚仪等。水声计量已成为研究和利用海洋，以及进行探测、导航、通信等的一种强有力的手段，在国防和经济建设中有着广泛的应用。

9. 光学计量

光学计量包括从红外、可见光到紫外的整个光谱波段的各种参量的计量。根据研究对象的不同，光学计量主要包括辐射度计量（辐射能量、辐射强度、辐射亮度、辐射照度、曝辐射量）、光度计量（发光强度、光亮度、光出射度、光照度、光量、曝光量）、激光辐射度计量（激光辐射量、激光辐射时域参量、激光辐射空域参量）、材料光学参数计量（材料反射特性参数、材料透射特性参数）、色度计量、光纤参数计量、光辐射探测器参数计量等。光学计量还包括眼科光学计量、成像光学计量、几何光学计量等。

10. 化学计量

随着测量科学的不断发展，化学已从局限于定性描述一些化学现象逐步发展成为今天的定量描述物质运动的内在联系的一门基础科学，而化学计量则是在不同空间和时间里测量同一量时为保证其量值统一的基本手段。由于物质和化学过程的多样性和复杂性，在大多数化学测量中，物质都要经历某些化学变化，而且产生消耗，所以广泛采用相对测量法进行测量。由于化学过程的这一特点，在化学计量中多采用标准物质来进行量值传递和溯源，以及通过有关部门颁布标准测量方法、标准参考数据，建立量值传递和溯源体系。标准物质的研制在化学计量中十分重要。标准物质按特性分为化学成分标准物质、物理化学特性标准物质、工程技术特性标准物质。化学计量包括燃烧热、酸碱度、电导率、黏度、湿度、基准试剂纯度等计量，也包括为建立生物技术可溯源的测量体系，开展生物量计量。

（三）计量的作用与意义

在人们的广泛社会活动中，每时每刻都在进行着大量的各种不同的测量，科学实验、工农业生产、商品流通、人民生活都离不开测量，而且在测量过程中都在追求测量的准确。没有准确的测量，则对国民经济的各个领域、社会活动的各个方面都将产生不良影响。计量工作就是为测量的准确提供可靠的保证，确保国家计量单位制度的统一和全国量值的准确可靠，这是国家的重要政策。

计量与科学技术、生产经营、国民经济、全球贸易、环境保护、节能降耗、国防科技、文化体育、人民生活均息息相关。计量是发展国民经济的一项重要技术基础，是确保社会活动正常进行的重要条件，是保护国家安全与利益的重要手段。计量在国民经济和社会生活中具有十分重要的地位和作用。

第二节　测量仪器及其特性

一、测量仪器及其作用

（一）测量仪器的概念

测量仪器（Measuring Instrument）又称计量器具，是指单独或与一个或多个辅助设备组合，用于进行测量的装置。它是用来测量并能得到被测对象量值的一种技术工具或装置。为了达到测量的预定要求，测量仪器必须具有符合规范要求的计量学特性，特别是测量仪器的准确度必须符合规定要求。

测量仪器的特点是：①用于测量，目的是为了获得被测对象量值的大小。②具有多种形式，它可以单独或连同辅助设备一起使用。例如体温计、电压表、直尺、度盘秤等可以单独地用来完成某项测量；另一类测量仪器，如砝码、热电偶、标准电阻等，则须与其他测量仪器和（或）辅助设备一起使用才能完成测量。测量仪器可以是实物量具，也可以是测量仪器仪表或一种测量系统。③测量仪器本身是一种器具或一种技术装置，是一种实物。

在我国有关计量法律、法规中，测量仪器称为计量器具，即计量器具是测量仪器的同义词。从上述测量仪器的定义可以看出，测量仪器是用于测量的所有器具或装置的统称，我国习惯统称其为计量器具。

（二）测量仪器的作用

测量是为了获得被测量值的大小，所以计量器具是人们从事测量获得测量结果的重要手段和工具，它是测量的基础，是从事测量的重要条件。有时要对测量实施远距离传输，要进行自动记录，要累计或计算被测量的值，或对某些被测量值要实施自动调节或控制，这些都要通过各种计量器具来实现。

计量器具又是复现单位、实现量值传递和量值溯源的重要手段。为实现计量单位统一和量值的准确可靠，必须建立相应的计量基准、计量标准和工作用计量器具，并通过检定和校准来实现测量的统一，实现测量的准确性、一致性，这一任务正是通过各级计量器具进行量值的传递和溯源来完成的。

计量器具又是实施计量法制管理的重要工具和手段。国家计量法规对用于贸易结算、医疗卫生、安全防护、环境监测四个方面且列入强检目录的工作计量器具实施强制检定，这些强检计量器具既是实施法制管理的对象，又是维护国家和人民利益的重要手段。

计量器具又是开展科学研究、从事生产活动不可缺少的重要工具和手段。如果没有计量器具，就无法获得量值，科研就无法进行，生产过程就无法控制，产品质量就无从保证。

二、实物量具、测量系统和测量设备

(一) 实物量具

实物量具（Material Measure）的定义是：具有所赋量值，使用时以固定形态复现或提供一个或多个量值的测量仪器。它的主要特性是能复现或提供某个量、某些量的已知量值。这里所说的固定形态应理解为量具是一种实物，它应具有恒定的物理化学状态，以保证在使用时量具能确定地复现并保持已知量值。获得已知量值的方式可以是复现的，也可以是提供的。如砝码是量具，它本身的已知值就是复现了一个质量单位量值的实物。如标准信号发生器也是一种实物量具，它提供多个已知量值作为供给量输出。定义中的已知值应理解为其测量单位、数值及其不确定度均为已知。

实物量具的特点是：本身直接复现或提供了单位量值，即实物量具的示值（标称值），复现了单位量值，如量块、线纹尺本身就复现了长度单位量值；在结构上一般没有测量机构，如砝码、标准电阻，它只是复现单位量值的一个实物；由于没有测量机构，在一般情况下，如果不依赖其他配套的测量仪器，就不能直接测量出被测量值，如砝码要用天平，量块要配用干涉仪、光学计。因此实物量具往往是一种被动式测量仪器。

量具本身所复现的量值，通常用标称值表示。对实物量具而言，标称值是指标在实物上的以固定形态复现或提供给定量的那个值。这个量值是经修约取整后的一个值，往往是通过标准器对比所确定的量值的近似值。它可以表明实物量具的特性。例如，标在砝码上的量值10g，标在单刻度量杯上的量值1L，标在量块上的量值100mm，该标称值就是实物量具本身所复现的量值。对于多刻度的玻璃量器、可变电容器、电阻箱之类的量具，则通常取其满刻度值作为标称值，这种标称值也可作为总标称值。有的量具还标有如额定电流值、准确度等级等，但通常不能认为这些量值或数据是量具的标称值。

按量具的复现或提供的量值，可以分为单值量具和多值量具，单值量具如量块、砝码等，一般不带标尺；多值量具如线纹尺、电阻箱等，带有标尺。多值量具也可包含成套量具，如砝码组、量块组等。按量具的工作方式，可以分为从属量具和独立量具。必须借助其他测量仪器才能进行测量的量具，称为从属量具，如砝码，只有借助天平或质量比较仪才能进行质量的测量；不必借助其他测量仪器即可进行测量的量具称为独立量具，如尺子、量杯等。

标准物质即参考物质按定义均属于测量仪器中的实物量具。

（二）测量系统

测量系统（Measuring System）是指一套组装的并适用于特定量在规定区间内给出测得值信息的一台或多台测量仪器，通常还包括其他装置，如试剂和电源。具体地说，是指用于特定测量目的、由全套测量仪器和有关的其他设备组装起来所形成的一个系统。如半导体材料电导率测量装置、磁性材料磁特性测量装置、光学高温计检定装置等。这里全套测量仪器包括各种测量仪器、实物量具或标准物质，其他设备包括任何试剂、电源、稳压器、指示仪器、分流器、分压器、附加电阻、开关线路及辅助设备。自动化测量系统是为确定的用途而把测量仪器、计算装置和辅助装置连接起来配合使用的一整套的、自动化的集合体，也可以是给出规定范围测量值的一台或多台测量仪器，其用途是为了获取、处理和分析一个或若干个物理量的测量结果，便于进一步转换、存储和自动化测量及自动化误差补偿或修正。建立自动化测量系统可提高可靠性和工作效率，并提高测量的准确度等。

从定义看，测量系统是由各种测量仪器连同辅助设备组装起来的，有时也可以随时拆卸。形成固定安装的测量系统称为测量装置。测量装置作为计量标准时，有时又称检定装置或校准装置。按自动化程度可分为自动、半自动和手动测量装置，按被测量的数目可分为单参量（单参数）和多参量（多参数）测量装置。

例如，一等标准水银温度计计量标准，通常由一等标准铂电阻温度计、标准测量电桥、低温槽、水槽、油槽、水三相点瓶、读数望远镜以及各恒温槽配套的控温设备组成一整套测量系统，即一套测量装置。又如用于电视、雷达、通信设备的多参数测量用网络分析装置及应用于科研及工业生产的自动化测量装置，都是由若干设备组装起来形成一个系统。

（三）测量设备

测量设备（measuring equipment）是指为实现测量过程所必需的测量仪器、软件、测量标准、标准物质、辅助设备或其组合。它包括检定、校准、试验或检验等过程中使用的全部测量设备。可见它并不是指某台或某类设备，而是测量过程所必需的测量仪器相关的硬件和软件的统称。测量设备有以下几个特点：

1. 概念的广义性。测量设备不仅包含一般的测量仪器，而且包含了各等级的测量标准、各类标准物质和实物量具，还包含和测量设备连接的各种辅助设备，以及进行测量所必需的资料和软件。测量设备还包括了检验设备和试验设备中用于测量的设备。

2. 内容的扩展性。测量设备不仅仅是指测量仪器本身，而须扩大到辅助设备，因为有关的辅助设备将直接影响测量的准确性和可靠性。这里主要指本身不能给出量值而没有它又不能进行测量的设备，也包括作为检验手段用的工具、工装、定位器、模具、夹具等试验硬件或软件。可见作为测量设备的辅助设备对保证测量的统一和准确十分重要。

3. 测量设备不仅是指硬件还有软件。软件是指测量仪器本身所属的测量软件，还包括"进行测量所必需的资料"，这是指设备使用说明书、作业指导书及有关测量程序文件等资料，没有这些资料就不能给出准确可靠的数据。因此测量设备是硬件和软件的统称，软件也应被视为测量设备的组成部分。

测量设备是一个总称，它比测量仪器或测量系统的含义更为广泛。提出此术语有利于对测量过程进行控制。

三、测量仪器的分类

测量仪器按其结构、功能、作用、性质或不同专业，具有很多的分类方法。测量仪器按其结构和功能特点可分为以下几类。

（一）指示式测量仪器

指示式测量仪器（Indicating Measuring Instrument）是指提供带有被测量量值信息的输出信号的测量仪器。例如电压表、测微仪、温度计和电子天平。

（二）显示式测量仪器

显示式测量仪器（Displaying Measuring Instrument）是指输出信号以可视形式表示的指示式测量仪器。

（三）记录式测量仪器

记录式测量仪器（Recording Measuring Instrument）是指提供示值记录的测量仪器，这是相对显示式测量仪器而言的。这类测量仪器能将被测量值的示值记录下来。给出的记录可以是模拟的（连续或断续线条），也可以是数字的；可记录一个量或多个量的值，如温度记录仪、记录式光谱仪等。这类测量仪器具有记录器，记录器把被测量值记录到媒质上，记录媒质可以是带状、盘状、片状或其他形状的，也可以是磁带、磁盘等存储器；有时数字式测量仪器也可通过接口配以打印机、记录仪进行记录。绝大多数记录式测量仪器也具有显示功能，当然其主要的功能是记录，即记录式仪器也可带有指示装置以提供示值。

（四）累计式测量仪器

累计式测量仪器（Totalizing Measuring Instrument）是指通过对来自一个或多个源中，同时或依次得到的被测量的部分值求和，以确定被测量值的测量仪器。它是为了获得被测量在一段时间间隔内的累计值，即被测量值求和的测量仪器。这是从测量仪器的使用功能上来进行分类的，有些情况下，测量的目的不是为了获得被测量的瞬时值，如需要称量在一段时间内皮带传送的散装物料的总重量，或一列货车所载货物的总重量等。通常测量仪器的示值所反映的是被测量的瞬时值，因此为了给出累计量就必须使测量仪器增加一个累计的功能，这个功能由累计器来实现。电子轨道衡也是一种累计式测量仪器。

（五）积分式测量仪器

积分式测量仪器（Integrating Measuring Instrument）是指通过一个量对另一个量积分，以确定被测量值的测量仪器。有些被测量按其定义或实际性质本来就是一个积分量。例如，家庭用的电能表，就是两次付费时刻之间的一段时间内，所耗用的功率对时间的积分。家用电能表中的积分机构能随时将所用电能的量累积计算出来，并通过指示装置加以显示。

家用电能表和皮革面积测量仪都是积分式测量仪器。积分式测量仪器不能将积分变量分割为无限小的微分，而只是分割为可认为足够小的分段就行了。可见，累计式测量仪器，如果将分量量值设法加以足够的细分，也就成了积分式测量仪器了。

（六）模拟式测量仪器或模拟式指示仪器

模拟式测量仪器或模拟式指示仪器是指其输出或显示为被测量或输入信号连续函数的测量仪器。即测量仪器的输出或显示为被测量的量值，或为与输入信号相对应的连续函数值。通常遇到的被测量，如长度、角度、温度、电流、电压等，均被看作可以无限细分的连续量。在一定条件下，任何两个这种量之间均可以建立起数值上的对应关系即函数关系，这就是说，输出量是输入量的一种模拟信号的关系。例如，用热电偶测温，热电偶作为感温元件又将被测对象的温度值（非电量）变换为相应的热电动势（电量），两者之间具有函数关系，然后通过配套的显示仪表，将其输出变换为表针的偏转角度，从而指示出被测温度的大小。

模拟式测量仪器仅仅就输出或显示的表现形式而言，与测量仪器的工作原理无关。如电测量仪器中不同原理的磁电系仪表、电磁系仪表、电动系仪表均属于模拟式测量仪器。模拟式测量仪器，有的可以显示被测量值，有的可以输出某一个已知量值，故有模拟式指示仪器或模拟式测量仪器两个术语。

（七）数字式测量仪器或数字式指示仪器

数字式测量仪器或数字式指示仪器是指提供数字化输出或显示的测量仪器。这是从测量仪器输出或显示的不同形式来分类的。只要其输出或显示是以十进制数字自动显示的，则就是数字式测量仪器，而与仪器的工作原理无关。例如，通常使用的数字电压表、数字电流表、数字功率表、数字频率计等。数字式测量仪器具有准确度高、灵敏度高、重复性好、测量速度快、可同时测量多种参数，特别是具有便于与计算机相连以进行自动化测量和控制等一系列优点。数字式测量仪器可以提供数字化输出，也可以提供数字化显示，故采用了数字式测量仪器和数字式指示仪器两个名称。

四、测量链、测量传感器、检测器和敏感器

（一）测量链

测量链（Measuring Chain）是指从敏感器到输出单元构成的单一信号通道测量系统中的单元系列。具体地说，是测量仪器或测量系统从测量信号输入到输出所形成的一个通道，这一通道由一系列单元组成。如由传声器、衰减器、滤波器、放大器和电压表组成的电声测量链如一个压力表的机械测量链由波登管、机械传动系统和刻度盘构成。

（二）测量传感器

测量传感器（Measuring Transducer）是指用于测量的、提供与输入量有确定关系的输出量的器件或器具。它的作用就是将输入量按照确定的对应关系变换成易测量或处理的另一种量，或大小适当的同一种量再输出。在实践中，一些被测量往往不能找到能将它与已知量值直接进行比较的测量仪器来测量，或者测量准确度不高，如温度、流量、加速度等量，直接同它们的标准量比较是相当困难的，但可以将输入量变换成其他量，如电流、电压、电阻等易测的电学量；或变换成大小不同的同种量，如将大电流变换成较易测量的安培量级的电流，这种器件就称为测量传感器。通常测量传感器的输入量就是被测量。如热电偶输入量为温度，经其转变输出为热电动势，根据温度与其热电动势的对应关系，可从温度指示仪或电子电位差计上得到被测的温度值，因此热电偶就是一种测温的传感器。

传感器的种类很多，按被测量分类，可分为温度传感器、力传感器、压力传感器、应变传感器、速度传感器等；按测量原理分类，可分为电阻式、电感式、电容式、热电式、压电式、光电式等。计量器具中所用的传感器种类繁多。

有时提供与输入量有给定关系的输出量的器件，并不直接作用于被测量，而是测量仪

器的通道中间的某个环节，或是测量仪器本身内部的某一部件，则这种器件也被称为测量变换器；如输入和输出为同种量，也称为测量放大器；输出量为标准信号的传感器通常也称为变送器，如温度变送器、压力变送器、流量变送器等。

（三）检测器

检测器（Detector）是指当超过关联量的阈值时，指示存在某现象、物体或物质的装置或物质。检测器的用途是为了指示某个现象、物体或物质是否存在，即反映该现象、物体或物质的某特定量是否存在，或者是为了确定该特定量是否达到了某一规定的阈值的器件或物质。检测器并不是与被测量值无关，其测量的信息结果是由被测量值决定的，并且具有一定的准确度，其特点是不必提供具体量值的大小。例如，在电离辐射中为了确定辐射水平阈值，所用的给出声和光信号的个人剂量计等。有的检测器直接作用于被测量，提供与输入量有确定关系的输出量，也是一种测量传感器。有的检测器本身也是一种敏感器。

（四）敏感器

敏感器（Sensor）又称敏感元件，是指测量系统中直接受带有被测量的现象、物体或物质作用的测量系统的元件。敏感元件是直接受被测量作用，能接受被测量信息的元件。

例如，热电高温计中热电偶的测量结（热端）、铂电阻温度计的敏感线圈、涡轮流量计的转子、压力表的波登管、双金属温度计的双金属片等。它是测量仪器或测量链中输入信号的直接接受者，可以是一种元件，也可以是一种器件。必须注意敏感元件与传感器、检测器的区别，三者的概念是不同的。传感器是提供与输入量有确定关系的输出量的器件，检测器是用于指示某个现象的存在而不必提供有关量值的器件或物质。例如，热电偶是测量传感器，但它并不是敏感元件，因为只有热电偶的测量结（热端）直接处于被测量温度中，所以测量结是敏感元件。敏感元件只能说是传感器直接受被测量作用的那一部分，两者是有区别的。

五、显示器、指示器、测量仪器的标尺和仪器常数

（一）显示器

显示器（Displayer）是指测量仪器显示示值的部件。显示器通常位于测量仪器的输出端。显示器与指示装置虽为同义词，但严格地讲，两者是有差异的。指示装置是显示器的一种，指示装置通常具有指示器，可以用指针刻度等进行显示，也可以用数字进行显示，而某些复杂的信号则要靠文字、图形和图像来显示，甚至应用计算机及其显示器进行显

示，以供人观察分析，因此显示器具有广义性。测量仪器上应用的多数仍是指示装置。

指示装置提供示值的方式通常有三种：模拟式、数字式和半数字式。模拟式指示装置提供模拟示值，通常带有标尺和指示器，将被测量变换为长度或角度量值进行显示。数字式指示装置提供数字示值，把模拟量转换为以脉冲信号的频率或时间间隔形式出现的数字量，然后用电子计数器计数并进行显示。半数字式指示装置是以上两种的组合，即除末位数为模拟示值外，其他均为数字化示值，它通过末位由有效数字的连续移动进行内插的数字式指示，或通过由标尺和指示器辅助读数的数字式指示来提供半数字示值。

示值的概念既适用于测量仪器，也适用于实物量具，因此指示（显示）装置也包括实物量具的指示器或定位装置。但应注意，并不是所有的测量仪器都带有显示器，例如，有时实物量具用其标称值作为其示值，如量块、标准电阻等，这不能作为显示装置，因为它没有显示示值的部件。一些可调式量具也具有显示装置，如电阻箱、多刻度的玻璃量器等。

（二）指示器

指示器（Index）是指根据相对于标尺标记的位置即可确定示值的、显示单元中固定的或可动的部件。显示单元中用以确定示值的部件，可以是固定的，也可以是活动的。如何确定示值呢？通常由指示器相对于标尺标记的位置来确定。通常指示装置具有测量仪器的标尺，标尺上带有一组或多组有序的带有数码的标记，这就是测量仪器标尺上与被测量值有对应关系的刻线、点及数字等记号，即标尺标记。指示器正是在上述标记上确定被测量示值的固定的或不动的部件。例如，指示式电流表、电压表、动圈式温度测量仪的指示器就是可动的指针；如玻璃温度计、体温计、U 形管压力计的指示器就是可上下升降的液面；对于记录式测量仪器，其指示器就是可移动的记录笔。也存在着固定的指示器，如人体秤的分度盘，其指示器是固定的，而其标尺或度盘在转动。又如，常用的千分尺、微分筒是可转动的，而在固定套筒上相对微分筒棱边的垂直线即作为指示器，它是固定的。如家用电能表、煤气表，其读数窗口具有指示标线，这就是固定的指示器。这里必须注意指示装置和指示器的区别，指示器是指示装置中确定示值的部件，因此它直接影响着示值读数的准确度。

（三）测量仪器的标尺

测量仪器的标尺是指测量仪器显示单元的部件，由一组有序的带数码的标记构成。标尺标记上所注的数字可以用被测量单位表示，也可以用其他单位表示，或仅为一个纯数。标尺通常固定或标注在度盘上。一个度盘可以有一个或多个标尺（如万用表）。度盘可以是固定的，也可以是活动的，所以标尺也可以是固定的或活动的。例如，各种指示式电表、压力表、直尺、刻度量器等的度盘是固定的，而有些人体秤的度盘是活动的。

在模拟式测量仪器中，标尺使用十分广泛，带有指示器的显示单元均带有标尺。标尺是确定测量仪器被测量值示值大小的重要部件，因为标尺的准确性直接影响着测量仪器的准确度。是否所有测量仪器都具有标尺？不一定，关键在于该测量仪器是否有指示装置，即是否有指示示值的部件，如量块、标准电阻、砝码只有其标称值，并无指示示值的部件，就没有标尺；同样，数字显示的测量仪器也不存在标尺。测量仪器的标尺是对测量仪器而言的，但通常使用时简称标尺。

与标尺有关的术语及含义如下。

①标尺长度（Scale Length）是指在给定标尺上，始末两条标尺标记之间且通过全部最短标尺标记中点的光滑连线的长度。这条光滑连线也可称为标尺基线。

②标尺间距（Scale Spacing）是指沿着标尺长度的同一条线测得的两相邻标尺标记间的距离。它以长度单位表示，而与被测量的单位和标在标尺上的单位无关。标尺间隔相同时，如果标尺间距大，则有利于减小读数误差。

③标尺间隔（分度值）（Scale Interval）是指对应两相邻标尺标记的两个值之差。标尺间隔用标在标尺上的单位来表示，而与被测量的单位无关，人们习惯上称为分度值，即标尺间隔和分度值是同义词。

④标尺分度（Scale Division）是指标尺上任何两相邻标尺标记之间的部分。标尺分度主要说明标尺分成了多少个可以分辨的区间，决定标尺分度的数目是分得粗一点，还是分得细一点。

（四）仪器常数

仪器常数是指为给出被测量的指示值或用于计算被测量的指示值，必须与测量仪器直接示值相乘的系数。例如，有些同一标尺单个显示的多量程的测量仪器，如万用表，它对应不同选择开关位置有不同的测量范围。如测量电阻值，则与示值相乘的×1、×10、×100、×1k、×10k 就是仪器常数；有的测量仪器是通过计算得到被测量值的，在计算中所得的系数就是仪器常数。当仪器常数为 1 时，通常不必在仪器上标明。

六、测量系统的调整和零位调整

（一）测量系统的调整

测量系统的调整（Adjustment of A Measuring System）简称调整，是指为使测量系统提供相应于给定被测量值的指定示值，在测量系统上进行的一组操作。测量系统调整的类型包括测量系统调零、偏置量调整、量程调整（有时称为增益调整）。调整是为了确保测量系统具有正常性能，消除可能产生的偏差，使系统能进入使用状态所要做的一种操作。调整的方式可以是自动的、半自动的或手动的。

测量系统的调整不应与测量系统的校准相混淆。测量系统调整后，通常必须再校准。

（二）测量系统的零位调整

测量系统的零位调整（Zero Adjustment Of A Measuring System）简称零位调整，是指为使测量系统提供相应于被测量为零值的零示值，对测量系统进行的调整。

七、测量仪器的特性

（一）测量仪器特性的相关概念

1. 示值

示值（indication）是指由测量仪器或测量系统给出的量值。示值可用可视形式或声响形式表示，也可传输到其他装置。示值通常由模拟输出显示器上指示的位置、数字输出所显示或打印的数字、编码输出的码形图、实物量具的赋值给出。示值与相应的被测量值不必是同类量的值。

假定所关注的量不存在或对示值没有贡献，而从类似于被研究的量的现象、物体或物质中所获得的示值，称为空白示值又称本底示值。

2. 示值区间

示值区间是指极限示值界限内的一组量值。示值区间可以用标在显示装置上的单位表示，例如（99~201）V。在某些领域中，示值区间也称"示值范围"。

3. 标称量值

标称量值简称标称值，是指测量仪器或测量系统特征量经化整的值或近似值，以便为适当使用提供指导。例如，标在标准电阻器上的标称量值：100Ω；标在单刻度量杯上的量值：1 000L；盐酸溶液 HCl 的物质的量浓度：0.1mol/L；恒温箱的温度：$-20℃$。

4. 标称示值区间

标称示值区间简称标称区间，是指当测量仪器或测量系统调节到特定位置时获得并用于指明该位置的、化整或近似的极限示值所界定的一组量值。标称范围通常以最小和最大示值表示，例如（100~200）V。在某些领域，此术语也称标称范围。

5. 标称示值区间的量程

标称示值区间的量程是指标称示值区间的两极限量值之差的绝对值。例如，标称示值区间（-10~+10）V，其标称示值区间的量程为20V。

6. 测量区间

测量区间（Measuring Interval）又称工作区间，是指在规定条件下，由具有一定的仪器不确定度的测量仪器或测量系统能够测量出的一组同类量的量值。在计量标准中，此术语称"测量范围"，某些领域中有时也称"工作范围"。注意：测量区间的下限不应与检测限相混淆。

（二）测量仪器的计量特性

1. 测量系统的灵敏度

测量系统的灵敏度简称灵敏度，是指测量系统的示值变化除以相应的被测量值变化所得的商。灵敏度是反映由于被测量（输入）变化引起仪器示值（输出）变化的程度。它用被观察变量的增量即响应（输出量）与相应被测量的增量即激励（输入量）之商来表示。如被测量变化很小，而引起的示值（输出量）改变很大，则该测量仪器的灵敏度就高。

例如，在磁电系仪表中，响应特性是线性关系，灵敏度就是个常数；而在电磁系仪表中响应特性呈平方关系，灵敏度就随激励值变化。又如电动系仪表，测量功率时灵敏度是个常数，而测量电流或电压时却又随激励值变化。因此在表述测量仪器的灵敏度时，往往要指明对哪个量而言。例如，对检流计，就要说明是指电流灵敏度还是电压灵敏度。

2. 鉴别阈

鉴别阈是指引起相应示值不可检测到变化的被测量值的最大变化。它是指当测量仪器在某一示值给予一定的输入，这种激励变化缓慢从单方向逐步增加，当测量仪器的输出产生有可觉察的响应变化时，此输入的激励变化称为鉴别阈，同样可在反行程中进行。

例如，在一台天平的指针产生可觉察位移的最小负荷变化为10mg，则此天平的鉴别阈为10mg；如一台电子电位差计，当同一行程方向输入量缓慢改变到0.04V时，指针产生了可觉察的变化，则其鉴别阈为0.04mV。为了准确地得到其鉴别阈，激励的变化（输入量的变化）应缓慢匀速地在同一行程上进行，以消除惯性或内部传动机构的间隙和摩擦的影响。通常一台测量仪器的鉴别阈还应在标尺的上、中、下不同示值范围的正向及反向行程进行测定，其鉴别阈是不同的，可以按其最大的激励变化来表示测量仪器的鉴别阈。

例如，电感测微仪鉴别阈的测定，将量程开关置于最小一挡，并将仪器的示值调零，然后给传感器一个分度值的位移量，观察仪器的示值的变化量。要求仪器的鉴别阈应为最小量程挡的一个分度值。

有时人们也习惯地称鉴别阈为灵敏阈或灵敏限。产生鉴别阈的原因可能与噪声（内部或外部的）、摩擦、阻尼、惯性等有关，也与激励值有关。要注意灵敏度和鉴别阈的区别和关系，这是两个概念，灵敏度是被测量（输入量）变化引起了测量仪器示值（输出量）变化的程度；鉴别阈是引起测量仪器示值（输出量）可觉察变化时被测量（输入量）的最小变化值，是指使测量仪器指针移动所要输入的最小量值，但二者是相关的，灵敏度越高，其鉴别阈越小；灵敏度越低，其鉴别阈越大。

3. 显示装置的分辨力

显示装置的分辨力是指能有效辨别的显示示值间的最小差值。也就是说，显示装置的分辨力是指指示或显示装置对其最小示值差的辨别能力。指示或显示装置提供示值的方式，可以分为模拟式、数字式和半数字式三种。

模拟式指示装置提供模拟示值，最常见的是模拟式指示仪表，用标尺指示器作为读数装置，其测量仪器的分辨力为标尺上任何两个相邻标记之间间隔所表示的示值差（最小分度值）的一半。如线纹尺的最小分度值为 1mm，则分辨力为 0.5mm。

数字式显示装置提供数字示值，带数字显示装置的测量仪器的分辨力，是最低位数字变化一个字时的示值差。如数字电压表最低一位数字变化 1 个字的示值差为 $1\mu V$，则分辨力为 $1\mu V$。

半数字式指示装置是以上两种的综合。它通过由末位有效数字的连续移动进行内插的数字式指示，或通过由标尺和指示器辅助读数的数字式指示来提供半数字示值。

要区别分辨力和鉴别阈的概念，不要把二者相混淆。因为鉴别阈是在测量仪器处于工作状态时通过实验才能评估或确定的量值，它说明响应的觉察变化所需要的最小激励值。而分辨力是只须观察指示或显示装置，即使测量仪器不工作也可确定，是说明最小示值差的辨别能力。分辨力高可以降低读数误差，从而减少由于读数误差引起的对测量结果的影响。要提高分辨力，往往有很多因素，如指示仪器可增大标尺间距、规定刻线和指针宽度、规定指针和度盘间的距离等。有的测量仪器用改进读数装置来提高分辨力，如广泛使用的游标卡尺，利用游标读数原理，用游标来提高卡尺的分辨力，使分辨力达到 0.10mm、0.05mm 和 0.02mm。

4. 测量仪器的稳定性

测量仪器的稳定性（Stability of A Measurement Instrument）简称稳定性，是指测量仪器保持其计量特性随时间恒定的能力。

稳定性可以进行定量的表征，主要是确定计量特性随时间变化的关系。通常可以用以下两种方式：用计量特性发生某个规定的量的变化所需经过的时间，或用计量特性经过规定的时间所发生的变化量来进行定量表示。

5. 仪器漂移

仪器漂移（Instrument Drift）是指由于测量仪器计量特性的变化引起的示值在一般时

间内的连续或增量变化。在漂移过程中，示值的连续变化既与被测量的变化无关，也与影响量的变化无关。如有的测量仪器的零点漂移，有的线性测量仪器静态特性随时间变化的量程漂移。如热导式氢分析器，规定用校准气体将示值分别调到量程的 5% 和 85%，经 24h 后，分别记下前后读数，则 5% 示值变化称为零漂移，其 85% 示值的变化减去 5% 示值的变化，称为量程漂移，所引起的误差不得超过基本误差。

6. 响应特性

响应特性（Response Characteristic）是指在确定条件下，激励与对应响应之间的关系。激励就是输入量或输入信号，响应就是输出量或输出信号，而响应特性就是输入-输出特性。对一个完整的测量仪器来说，激励就是被测量，而响应就是它对应地给出的示值。显然，只有准确地确定了测量仪器的响应特性，其示值才能准确地反映被测量值，因此可以说响应特性是测量仪器最基本的特性。

该定义中"在确定条件下"是一种必要的限定，因为只有在明确约定的条件下，讨论响应特性才有意义。

关于测量仪器的动态响应特性，在动态测量中，测量仪器的激励或输入随时间而改变，其响应或输出也是时间的函数。一般认为它们之间的关系可以用常系数微分方程来描述，用拉普拉斯积分变换来求解常系数线性微分方程十分方便，当激励按时间函数变化时，传递函数（响应的拉普拉斯变换除以激励的拉普拉斯变换）是响应特性的一种形式。

7. 阶跃响应时间

阶跃响应时间（Step Response Time）是指测量仪器或测量系统的输入量值在两个规定常量值之间发生突然变化的瞬间，到与相应示值达到其最终稳定值的规定极限内时的瞬间这两者间的持续时间。这是测量仪器响应特性的重要参数之一。在输入输出关系的响应特性中，随着激励的变化其阶跃响应时间越短越好。阶跃响应时间短，则反映指示灵敏快捷，有利于进行快速测量或调节控制。

在技术规范文件中，测定电流表、电压表、功率表阶跃响应时间有如下规定：对仪表突然施加能使其指示器最终指示在标尺长度 2/3 处的被测量，持续保持 4s 之后，其指示值偏离最终静止位置不得超过标尺长度的 1.5%。具体方法是，突然施加一个使指示器指示在标尺长 2/3 处的被测量，当指示器第一次摆动（即一开始移动）时用秒表开始测量，当指示器摆动幅度达到标尺长度 1.5% 时，停止计时；重复测量 5 次并取其平均值，所测得的时间即为阶跃响应时间。

8. 死区

死区（Deadband）是指当被测量值双向变化时，相应示值不产生可检测到的变化的最大区间。有的测量仪器由于机构零件的摩擦、零部件之间的间隙、弹性材料的变形、阻尼机构的影响或由于被测量滞后等原因，在增大输入时，没有响应输出；或者在减少输入时，也没有响应变化，这一不能引起响应变化的最大的激励变化范围称为死区，相当于不工作区或不显示区。

通常测量仪器的死区可用滞后误差或回程误差来进行定量确定。回程误差，即激励双向变动的区间值。所说的"最大区间"是指在测量仪器的整个测量范围内，其死区的最大变化值。当然死区大小与测量过程中的速率有关，要准确地得到死区的大小则激励的双向变动要缓慢地进行。对于数字式的计量仪器的死区，IEC标准解释为：引起数字输出的模拟输入信号的最小变化。死区过小，会使示值指示不稳定，稍有激励变化，响应就改变。为了提高测量仪器示值的稳定性，方便读数，有时要采取降低灵敏度或用增加阻尼机构等措施，但这些做法加大了死区。

9. 仪器的测量不确定度

仪器的测量不确定度（Instrumental Measurement Uncertainty）简称仪器不确定度，是指由所用的测量仪器或测量系统引起的测量不确定度的分量。

仪器的测量不确定度的大小是测量仪器或测量系统自身计量特性所决定的，对于原级计量标准通常是通过不确定度分析和评定得到其测量不确定度，而对于一般使用的测量仪器或测量系统，其不确定度是通过对测量仪器或测量系统校准得到，由校准证书给出仪器校准值的测量不确定度。

10. 准确度等级

准确度等级（Accuracy Class）是指在规定工作条件下，符合规定的计量要求，使测量误差或仪器不确定度保持在规定极限内的测量仪器或测量系统的等级或级别。也就是说，准确度等级是在规定的参考条件下，按照测量仪器的计量性能所能达到的允许误差所划分的仪器的等级或级别，它反映了测量仪器的准确程度，所以准确度等级是对测量仪器特性的具有概括性的描述，也是测量仪器分类的主要特征之一。

准确度等级划分的主要依据是测量仪器示值的最大允许误差，当然有时还要考虑其他计量特性指标的要求。等和级的区别通常这样约定：测量仪器加修正值使用时分为等，不加修正值使用时分为级；有时测量标准器分为等，工作计量器具分为级。通常准确度等级用约定数字或符号表示。通常测量仪器的准确度等级在相应的技术标准、计量检定规程等文件中做出规定，包括划分准确度等级的各项有关计量性能的要求及其允许误差范围。实际上准确度等级只是一种表达形式，这些等级的划分仍是以最大允许误差、引用误差等一系列数值来定量表述。例如，电工测量指示仪表按准确度等级分为0.1、0.2、0.5、1.0、1.5、2.5、5.0七级，具体地说，就是该测量仪器以示值范围的上限值（俗称满刻度值）为引用值的引用误差，如1.0级指示仪表其引用误差为±1.0%FS（其中FS就是满刻度值的英文 Full Scale 的缩写）。

有的测量仪器没有准确度等级指标，测量仪器的性能就是用测量仪器示值的最大允许误差来表述。这里要注意，测量仪器的准确度、准确度等级、测量仪器的示值误差、最大允许误差、引用误差等概念是不同的。测量仪器的准确度是测量仪器最主要的计量性能，测量仪器的准确度是定性的概念，它可以用准确度等级、测量仪器示值误差等来定量表述。

要注意区分测量仪器的准确度和准确度等级。准确度等级只是确定了测量仪器本身的计量要求，它并不等于用该测量仪器进行测量时所得测量结果的准确度高低，因为准确度等级是指仪器本身而言的，是在参考条件下测量仪器误差的允许极限。

11. 示值误差

示值误差（error of indication）是指测量仪器示值与对应输入量的参考量值之差，也可简称为测量仪器的误差。示值是由测量仪器所指示的被测量值，示值概念具有广义性，如测量仪器指示装置标尺上指示器所指示的量值，即直接示值或乘以测量仪器常数所得到的示值。对实物量具，量具上标注的标称值就是示值；对模拟式测量仪器而言，示值概念也适用于相邻标尺标记间的内插估计值。测量仪器的示值误差是测量仪器的最主要的计量特性之一，其实质反映了测量仪器准确度的大小，示值误差大，则其准确度低，示值误差小，则其准确度高。

示值误差是对真值而言的，由于真值是不能确定的，实际上使用的是约定真值或标准值。为确定测量仪器的示值误差，当其接受高等级的测量标准器检定或校准时，则标准器复现的量值即为约定真值，通常称为标准值或实际值，即满足规定准确度的用来代替真值使用的量值。所以指示式测量仪器的示值误差=示值−标准值；实物量具的示值误差=标称值−标准值。

12. 最大允许测量误差

最大允许测量误差简称最大允许误差，是指对给定的测量、测量仪器或测量系统，由规范或规程所允许的，相对于已知参考量值的测量误差的极限值。这是指在规定的参考条件下，在技术标准、计量检定规程等技术规范中，测量仪器所规定的允许误差的极限值。测量仪器的最大允许误差也可称为测量仪器的误差限。当它是对称双侧误差限，即有上限和下限时，可表达为：最大允许误差=±MPEV（MPEV 为最大允许误差的绝对值的英文缩写）。

13. 基值测量误差

基值测量误差（datum measurement error）是指在规定的测得值上测量仪器或测量系统的测量误差，可简称为基值误差。为了检定或校准测量仪器，人们通常选取某些规定的示值或规定的被测量值，在该值上测量仪器的误差称为基值误差。

选用规定的示值，如对普通准确度等级的衡器来说，载荷点 $50e$ 和 $200e$ 是必检的基本点（e 是衡器的检定分度值），它们在首次检定时基值误差分别不得超过 $\pm 0.5e$ 和 $\pm 1.0e$。如对于中（高）准确度等级的衡器，载荷点 $500e$ 和 $2\,000e$ 是必检的，它们在首次检定时的基值误差分别不得超过 $\pm 0.5e$ 和 $\pm 1.0e$。

标准热电偶的检定或分度，通常选用锌、锑及铜三个温度固定点进行示值检定或分度，则在此三个值上被检标准热电偶的示值误差，即为基值误差。通常将测量仪器的零值误差作为基值误差对待，因为零值对考核测量仪器的稳定性、准确性具有十分重要的作用。

14. 零值误差

零值误差是指测得值为零值的基值测量误差。即测得值为零值时，测量仪器示值相对于标尺零刻线之差值。也可以说是当测得值为零时，测量仪器的直接示值与标尺零刻线之差。通常在测量仪器通电情况下，称为电气零位；在不通电的情况下，称为机械零位。零位在测量仪器检定、校准或使用时十分重要，因为它无需标准器就能确定其零位值，如各种指示仪表和千分尺、度盘秤等都具有零位调节器，可以作为检定、校准或用作使用者自行调整，以便确保测量仪器的准确度。有的测量仪器零位不能进行调整，则此时零值误差应作为测量仪器的基值误差进行测定，应满足最大允许误差的要求。测量仪器的零值误差与指示装置的结构相关。

15. 固有误差

固有误差是指在参考条件下确定的测量仪器或测量系统的误差，通常也称为基本误差。固有误差主要来源于测量仪器自身的缺陷，如仪器的结构、原理、使用、安装、测量方法及其测量标准传递等造成的误差。固有误差的大小直接反映了该测量仪器的准确度。一般固有误差都是相对示值误差而言，因此固有误差是测量仪器划分准确度等级的重要依据。测量仪器的最大允许误差就是测量仪器在参考条件下，反映测量仪器自身存在的所允许的固有误差极限值。

固有误差是相对于附加误差而言的。附加误差就是测量仪器在非参考条件下所增加的误差。额定操作条件、极限条件等都属于非参考条件，非参考条件下工作的测量仪器的误差，必然会比参考条件下的固有误差要大一些，这个增加的部分就是附加误差，它属于外界因素所造成的误差，因此测量仪器在使用时与检定、校准时的环境条件不同而引起的误差，就是附加误差。测量仪器在静态条件下检定、校准，而实际在动态条件下使用，则也会带来附加误差。

（三）测量仪器的使用条件

测量仪器的计量特性受测量仪器使用条件的影响，通常测量仪器允许的使用条件有以下三种。

1. 参考工作条件

参考工作条件简称参考条件，是指为测量仪器或测量系统的性能评价或测量结果的相互比较而规定的工作条件。这是指测量仪器在进行检定、校准、比对时的使用条件，参考条件就是标准工作条件或称为标准条件。测量仪器具有自身的基本计量性能，如准确度、测量仪器的示值误差、测量仪器的最大允许误差以及其他性能。而这些性能是在有一定影响量的情况下考核的，严格规定的考核测量仪器计量性能的工作条件就是参考条件，参考条件一般包括作用于测量仪器影响量的参考值或参考范围，只有在参考条件下才能真正反映测量仪器的计量性能和保证测量结果的可比性。

开展检定、校准工作时，通常参考条件就是计量检定规程或校准规范上规定的工作条件。测量仪器的基本计量性能就是这种标准条件下所规定的。

2. 额定工作条件

额定工作条件是指为使测量仪器或测量系统按设计性能工作，在测量时必须满足的工作条件。额定工作条件就是指测量仪器的正常工作条件。额定工作条件一般要规定被测量和影响量的范围或额定值，只有在规定的范围和额定值下使用，测量仪器才能达到规定的计量特性或规定的示值允许误差，满足规定的正常使用要求。有的测量仪器的影响量的变化对计量特性具有较大的影响，而随着影响量的变化，会增大测量仪器的附加误差，则还需要规定影响量如温度、湿度、振动及其环境的范围和额定值的要求，通常在仪器使用说明书中应做出规定。在使用测量仪器时，搞清楚额定工作条件十分重要。只有满足这些条件时，才能保证测量仪器的测量结果准确可靠。当然在额定工作条件下，测量仪器的计量特性仍会随着测量或影响量的变化而变化。但此时变化量的影响，仍能保证测量仪器在规定的允许误差极限内。

3. 极限工作条件

极限工作条件是指为使测量仪器或测量系统所规定的计量特性不受损害也不降低，其后仍可在额定工作条件下工作，所能承受的极端工作条件。这是指测量仪器能承受的极端条件。承受这种极限工作条件后，其规定的计量特性不会受到损坏或降低，测量仪器仍可在额定操作条件下正常运行。极限工作条件应规定被测量和影响量的极限值。通常测量仪器所进行的型式试验，其中有的项目就属于是一种极端条件下对测量仪器的考核。

第二章 质量测量

第一节 质量的基础知识

一、质量的定义

（一）关于"固有特性"

特性是指"可区分的特征"，如物理的特性（机械性能、物理化学性能等）、感官的特性（气味、噪声、色彩等）、时间的特性（准时性、可靠性等）、人体工效的特性（生理的特性、安全性等）、经济的特性（使用成本等）和行为的特性（礼貌、仪表等）。

特性可以是固有的或赋予的。"固有特性"是指事物本来就有的、与生俱来的，尤其是那种永久的特性。例如，产品的尺寸、体积、重量，机械产品的机械性能、可靠性、可维修性，化工产品的化学性能、安全性等。"赋予特性"不是固有的，是人们后来施加的，如产品的价格、交货期、保修时间和运输方式等。

固有特性与赋予特性是相对的。某些产品的赋予特性可能是另一些产品的固有特性。例如，交货期及运输方式，对硬件产品而言属于赋予特性，但对运输服务而言就属于固有特性。

（二）关于"要求"

"要求"指"明示的、通常隐含的或必须履行的需求或期望"。

"明示的"可以理解为规定的要求，如在销售合同中或技术文件中阐明的要求或顾客明确提出的要求。

"通常隐含的"是指组织、顾客和其他相关方的惯例或一般做法，所考虑的需求或期望是不言而喻的，如化妆品应对顾客皮肤具有保护性等。一般情况下，顾客或相关方的文件（如标准）中不会对这类要求给出明确的规定，供方应根据自身产品的用途和特性进行识别，并做出规定。

"必须履行的"是指法律法规要求的或有强制性标准要求的，如食品卫生安全法等。供方在产品实现的过程中，必须执行这类标准。要求可以由不同相关方提出，不同的相关方对同一产品的要求可能是不相同的。例如，对汽车来说，顾客要求其美观、舒适、轻便、省油，但社会要求其对环境不产生污染。组织在确定产品要求时，应兼顾各相关方的要求。

"要求"可以是多方面的，当需要指出时，可以采用修饰词表示，如产品要求、质量管理体系要求和顾客要求等。

（三）质量的内涵

质量的内涵由一组固有特性组成，并且这些固有特性是以满足顾客及其他相关方要求的能力加以表征的，质量具有广义性、时效性和相对性。

质量的广义性：质量不仅指产品质量，也可以指过程质量和体系质量。组织的顾客及其他相关方对组织的产品、过程或体系都可能提出要求。

质量的时效性：组织的顾客及其他相关方对组织的产品、过程和体系的需求与期望是不断变化的，因此，组织应不断地调整对质量的要求，想方设法地满足顾客及其他相关方的要求，并争取超越他们的期望。

质量的相对性：组织的顾客和其他相关方可能会对同一产品的功能提出不同的需求，也可能对同一产品的同一功能提出不同的需求。需求不同，质量要求也就不同，只有满足需求的产品才会被认为是质量好的产品。

质量的优劣是满足要求程度的一种体现。它须在同一等级基础上作比较，不能与等级混淆。等级是对功能、用途相同但质量要求不同的产品、过程或体系所做的分类或分级。

二、与质量相关的术语

在质量的定义中出现了过程、产品、质量特性等相关术语，现分别介绍这些相关术语的内涵。

（一）过程

过程是指将输入转化为输出的相互关联或相互作用的一组活动。过程由输入、实施活动和输出三个环节组成，过程可以包括产品实现过程和产品支持过程。

过程的输入可能是一个或几个过程的输出，过程的输出也可能是一个或多个过程的输入，过程会形成网络，过程的输出应可测量。因此，质量目标的实现情况可通过对每个过程的输出结果进行测量来给出。

例如，采购过程，其输入是采购清单和合格供方名单，其输出是采购产品，并且通过对采购产品的验证来对采购过程的质量进行评定。

（二）产品

产品是指过程的结果。产品有四种通用的类别：服务（如商贸、运输）、软件（如计算机程序、字典）、硬件（如电视机、电冰箱）和流程性材料（如煤气、酒、化肥）。

许多产品是由多个类别构成的，服务、软件、硬件或流程性材料的区分取决于其主导成分。例如，"汽车"是由硬件（如汽车发动机、轮胎等）、流程性材料（如冷却液、润滑油）、软件（如汽车说明书、驾驶员手册）和服务（如销售人员所做的操作说明）所组成，但其主导成分是硬件。

按照产品的存在形式，又可将产品分成有形的和无形的。硬件和流程性材料通常是有形产品。硬件是可以分离、可以一个一个加以计数的。流程性材料一般是连续生产的，状态可以是液态、气态、粉末状、线状、块状或板状等。软件和服务通常是无形产品。服务是在供方和顾客接触面上至少需要完成一项活动的结果。软件由信息组成，可以方法、论文或程序的形式存在。

（三）质量特性

质量特性是指与要求有关的产品、过程或体系的固有特性。

产品的质量特性可以是多种多样的，它包括性能、适用性、可信性（可用性、可靠性、可维修性）、安全性、环境、经济和美学性。

服务质量特性可分为服务的时间性、功能性、安全性、经济性、舒适性和文明性六种类型，不同的服务对各种特性要求有所不同。

根据对顾客及其他相关方满意的影响程度不同，质量特性可划分为关键、重要和次要三类：①关键质量特性，是指该特性超过规定的要求，则会直接影响产品安全性或导致产品整体功能丧失的质量特性；②重要质量特性，是指该特性超过规定的要求，则将造成产品部分功能丧失的质量特性；③次要质量特性，是指该特性超过规定的要求，虽然暂不影响产品功能，但可能会引起产品功能逐渐丧失的质量特性。

三、质量概念的沿革

随着经济的发展和社会的进步，人们对质量的需求不断提高，质量的概念也随之不断地深化和发展，具有代表性的质量概念主要有符合性质量、适用性质量、波动性质量和广义质量。

（一）符合性质量的概念

符合性质量是指产品符合现行标准的程度，这种"符合"的程度反映了产品质量的一致性。这是长期以来人们对质量的定义。但是，"规格"和"标准"有先进和落后之分，过去认为是先进的，现在可能是落后的。落后的标准即使百分之百地符合，也不能认为是质量好的产品。因此，"规格"和"标准"不可能将顾客的各种需求和期望都规定出来，特别是隐含的需求与期望。

（二）适用性质量的概念

适用性质量是指产品适用顾客需要的程度。这是从使用角度来定义产品的质量，即产品的质量就是产品的"适用性"。

质量从"符合性"发展到"适用性"，使人们逐渐认识到应该把顾客的需求放在首位。

（三）广义质量的概念

国际标准化组织（ISO）总结质量的不同概念并加以归纳和提炼，逐渐形成世人所公认的质量定义，即质量是一组固有特性满足要求的程度。这一定义的内涵是十分广泛的，既反映了要符合标准的要求，也反映了要满足顾客的需要；既包含了产品，又包含了过程质量和体系质量。

我们称前三种质量的概念为狭义质量，第四种质量的概念为广义质量。

四、质量方针目标

（一）质量方针与质量目标

1. 质量方针

定义：由最高管理者正式发布的关于质量方面的全部意图和方向。

①质量方针是组织经营总方针的一部分，质量方针应与经营总方针相一致。②质量管

理的八项原则是制定质量方针的基础。③质量方针的内容应反映组织对质量的追求、宗旨和对顾客的承诺，并且应反映组织的特色，切忌空洞式的口号。④质量方针应为质量目标提供框架。⑤质量方针应由组织的最高管理者主持制定，并亲自正式发布。

2. 质量目标

定义：在质量方面所追求的目的。

①质量目标应建立在组织的质量方针基础上，并与质量方针保持一致。②质量目标应是定量的，并在组织的不同层次上加以展开。③质量目标按其达到的时间长短分类，可分为长期目标（3~5年）和短期目标（年、季、月）。④质量目标按其内容分类，可以有质量指标、顾客满意度指标、升级创优目标、质量成本目标和质量管理目标等。

3. 质量方针与质量目标的关系

①质量方针为质量目标提供框架，质量目标应与质量方针保持一致。②质量方针是纲领性的，质量目标是定量的。

（二）质量方针目标管理

1. 方针目标管理

方针目标管理是组织为实现中长期或年度经营方针目标，充分调动职工积极性，通过个体与群体的自我控制和协调，以实现个人目标，从而保证实现共同成就的一种科学管理方法。

①"个体"是指个人、岗位；"群体"是指组织、部门、分厂（车间）、工段、班组等。②"自我控制"是指根据目标的要求调整自己的行为，以促使目标的实现。"共同成就"指组织目标和部门、车间、班组目标等。③质量方针目标管理是组织为实现质量方针目标而开展的方针目标管理。

2. 方针目标管理的特点

作为一种科学管理方法，方针目标管理具有如下特点。

（1）强调系统管理

它层层设定目标，建立目标体系，并围绕组织方针目标将措施对策、组织机构、职责权限、奖惩办法等组合成一个网络系统。

（2）强调重点管理

它不替代由标准、制度或计划（如生产计划）所规定的业务职能活动，它不替代日常管理，只是重点抓好对组织和部门的发展有重大影响的重点目标、重点措施或事项，重点目标主要指质量、生产、营销、效益、能耗、安全目标等。

（3）强调措施管理

管理对象必须细化到实现目标的措施上，而不是停留在定性的号召上。为此，要将目标展开到能直接采取措施为止，对具体措施实施管理。

（4）强调主动管理

它要求组织的全体成员积极参与方针目标管理的全过程，从工人到管理人员都要被目标所管理，每个人、每个部门都要主动地、积极地为实现自己的目标而努力，实行"自我管理"。

（5）强调管理的科学性

它强调按 PDCA 循环的四个阶段、八个步骤展开工作，做好管理程序的科学化。

（6）强调管理的有效性

它强调管理的效率，不搞烦琐哲学，提倡"一分钟管理"方法，即目标、措施、描述不超过一分钟，总结考核不超过一分钟。

3. 方针目标管理的原理

方针目标管理的原理是行为科学和系统理论。

它以行为科学中的"激励理论"为基础，与泰勒式的科学管理思想相比，实现了四个飞跃：从"以物为中心"转变为"以人为中心"，从被动式的"监督管理"转变为主动式的"自主管理"，从家长式的"专制管理"转变为"民主管理"，从"纪律约束"转变为"激励管理"。

它用系统论的方法将目标逐层展开，即自上而下层层展开、自下而上层层保证。

方针目标管理的要领是在实施方针目标管理的全过程中，牢牢抓住系统管理和调动人的积极性两条主线。

第二节　砝码的检定

一、专用砝码的检定方法

以一套型号规格为（200~1）N 的专用砝码为例，各砝码的最大允许误差为±0.1%，是用相对误差形式表示的。

（一）量值的换算

砝码的检定是对其约定质量值的检定，被检的专用砝码首先需要按下式进行量值的换算。

$$N = mg$$

式中：N——力，N；

　　　m——真空质量值，kg；

　　　g——重力加速度值，全国各地区有所不同，这里为 9.8015m/s^2。

依次换算各被检砝码质量值，将允差用相对误差的形式表示，并计算其扩展不确定度的极限值。

（二）测量方法

采用直接比较法进行测量，测量模型为：

$$m_{ct} = \sum m_{cr} + \Delta m_c$$

式中：m_{ct}——被检砝码的约定质量值，g；

　　　m_{cr}——单个标准砝码约定质量值，g；

　　　Δm_c——约定质量差值，mg。

将由力的标称值换算的真空质量值（按需取整）作为被检砝码的质量标称值与标准砝码比较进行检定。

（三）标准砝码的选取

因采用了组合的标准砝码，且 F_2 等级标准砝码的检定证书中无修正值，故此标准砝码所引起的不确定可按照下式计算：

$$u(m_{cr}) = \sum_i u(m_{cri}) = \sum_i \sqrt{\frac{\text{MPE}^2}{3} + u_{inst}^2(m_{cri})}$$

式中：$u(m_{cr})$——组合的标准砝码的不确定度，mg；

　　　$u(m_{cri})$——单个标准砝码的标准不确定度，mg；

　　　MPE——单个标准砝码最大允许误差，mg；

　　　$u_{inst}(m_{cri})$——单个标准砝码质量的不稳定性引起的不确定度，取 $\sqrt{\dfrac{\text{MPE}^2}{3}}$。

（四）检定结果的判定

依据砝码检定规程，因限定了专用砝码的最大允许误差，当被检砝码约定质量满足下式时，判为合格：

$$m_0 - (|\text{MPE}| - U) \leqslant m_c \leqslant m_0 + (|\text{MPE}| - U)$$

式中：m_c——被检砝码的约定质量值，g；

　　　m_0——检砝码的质量标称值，g；

｜MPE｜——检砝码最大允许误差绝对值，mg；

U ——被检砝码约定质量的扩展不确定度，取极限值，mg。

由上式计算可得被检砝码的允许值范围，选取适用的电子天平作为衡量仪器，采用直接比较法对被检砝码约定质量值进行测量计算，并进行合格与否的判定。

二、砝码检定精度探析

（一）天平砝码检定误差及原因分析

1. 天平砝码检定误差

砝码作为天平测量的重要器具，同时也是实现天平测量准确性保障与实现的关键性因素。如果天平在进行物体质量测量应用中砝码发生问题就会直接对测量结果的准确性产生影响，进而对物体测量的应用产生影响。针对这种情况，为提高天平测量的准确性，定期开展天平砝码精度检定，确保砝码在天平测量中的精度，从而为测量结果准确性提供保障，具有必要性。结合天平砝码检定误差情况，主要有可预见性与不可预见性两种误差类型，其中，可预见性误差是人们在对于天平测量方式的长期应用基础上，总结出了一套相对完整的天平砝码检定中误差发生的规律特征，从而对于天平砝码检定的一些误差问题，进行可预见性预估或预测发生的情况类型，比如天平砝码检定中，天平两臂不等引起的误差情况等，就属于可预见性误差。此外，由外界作用或因素导致，或者是天平砝码精度检定中，工作人员的操作失误或者疏忽等引起的砝码检定误差，就属于不可预见性误差情况。

2. 天平砝码检定误差原因分析

结合上述两种天平砝码检定误差情况，分析其误差发生原因，可以归结为天平精度本身存在问题、检定操作问题、管理以及环境问题等四个可能导致天平砝码检定精度问题发生的情况因素。

（1）天平精度引起的检定误差

天平精度引起的误差，是天平砝码检定中误差发生的主要原因之一，它与天平不等臂或者是天平本身质量存在问题都有一定关系。一般情况下，天平作为测量器具在实际测量应用中，多以等臂天平测量应用为主。使用这类天平进行测量操作相对简单，因此应用相对广泛。但是，实际测量中，除了等臂天平外，还包括电子天平与不等臂天平等多种类型，因此，进行天平砝码检定过程中，如果采用不等臂天平作为检定工具，如果检定操作的人员对于不等臂天平不同臂长下的不均衡性把握不准，就会导致相应的检定误差发生，影响天平砝码的检定精度。此外，在天平砝码检定时，如果检定使用的天平本身存在一定的质量问题，必然会对天平精度造成影响，因此进行砝码检定测量的准确度必然也会受到影响，发生误差。根据天平测量应用实际情况，导致其质量问题发生的情况相对较多，比如，天平清洁不到位或者是结构部件之间摩擦、粉尘或纤维残留等，都会对天平质量造成影响，从而影响天平测量的精度。

（2）检定操作导致的误差

天平砝码检定操作中，主要通过人为操作进行砝码检定，如果检定人员的操作不规范或者是进行数据读取过程中发生错误等，都会导致相应的误差问题发生。这类因素也被称为人为影响因素，是天平砝码检定中可避免因素。

（3）天平砝码检定管理与环境引起的误差

首先，天平砝码检定管理导致的误差，主要是由于一般情况下，对于天平砝码的精度检定都需要按照相关检定操作制度进行规范操作来确保砝码检定的精度，避免误差问题发生。但是，如果天平砝码检定操作中缺乏有效的监督，不能够即使发觉与改进检定操作中的不规范情况或问题，很可能会导致天平砝码检定误差发生，从而对天平测量应用的结果准确性造成影响。其次，天平砝码检定中，除上述因素干扰影响外，由于天平测量的精确度要求相对较高，因此，外部环境因素的干扰影响也会导致误差问题发生。比如检定过程中，空气浮力对检定就会产生相应的影响，尤其是精密性测量检定中，其影响更突出。因此，如果在检定过程中，不对空气浮力的影响进行考虑，必然会导致相应的误差问题发生，从而影响天平砝码检定的精度，对天平测量应用产生不利影响。

（二）天平砝码检定精度分析

根据上文对于天平砝码检定误差问题及原因的分析，本节以天平精度对砝码检定精度的影响为例，对如何通过天平精度的选择确认来确保砝码检定精度的具体方法进行分析论述，以供参考。

1. 情况分析

根据天平砝码检定的有关规定，要求检定所使用的已知质量基准以及标准砝码、天平等的综合极限误差值，在被检定砝码检定精度的 4/5 以下。由此可见天平精度对于砝码检定精度的重要影响，而要想确保砝码检定的精度，就需要先确保天平精度。只有在正确选择天平精度的基础上，才能够确保被检定砝码的精度。根据这一规定，以 200g 二等标准砝码检定为例，对正确选择天平精度以确保检定精度的具体方法分析如下。

2. 具体方法

首先，根据有关要求，进行 200g 一等标准砝码检定，其精度需要达到±0.2mg，而对于同质量的二等标准砝码检定，其精度需要满足±0.5mg 标准。由此，结合天平砝码检中有关要求，就可以通过下式，进行检定使用天平的精度初步计算与选择分析：

$$标准砝码检定精度 + 2 \times 天平分度值 \leqslant \left(\frac{2}{5} \sim \frac{3}{5}\right) \times 被检砝码的检定精度$$

根据上述公式，在假设上述公式中天平分度值为 x 的情况下，通过已知数值代入，则可得到如下所示的计算公式。经计算分析后可以得出天平分度值在每分度 0.05mg 及以下范围内。因此，就可以将本节所检定的 200g 二等标准检定砝码的检定使用天平精度初步选择确定为最大测量值为 200g 且分度值为 0.04mg 的二级天平。

$$0.2 + 2x \leqslant \frac{3}{5} \times 0.5$$

其次，在初选天平精度确定情况下，还需要对检定过程中的误差情况进行考虑并进行计算分析。根据上文所分析检定砝码的情况，其误差分析以检定使用的标准砝码以及天平误差为主。其中，检定使用的标准砝码误差，根据有关规定可以进行检定使用的 200g 一等标准砝码的精度标准，即 ΔB 为 ±0.2mg，而检定使用的同质量二等标准砝码精度标准 Δr 为 ±0.004mg。

而对于检定使用的天平精度的误差分析，则需要从天平不等臂以及示值变动、分度值、标牌读数估读、温度环境等方面进行分析考虑。其中，针对天平不等臂引起的误差，为避免此类误差发生，本次检定均以精密衡量法为主；此外，针对天平示值误差情况，根据有关要求规定，可以确定为 2 分度；对于天平分度值误差则可以通过下列公式经数值代入计算后得出为 0.00012mg，下述公式中，r 表示进行天平分度值测定的标准砝码，而 L_B 与 L_{Br} 分别表示天平秤盘有标准砝码时的平衡位置与天平秤盘有标准砝码和感量砝码时的平衡位置，L_1 则为 L_B 与 L_{Br} 的差值。

$$\Delta S = \frac{\partial S}{\partial L_1} \cdot \Delta L_1 + \frac{\partial S}{\partial r} \cdot \Delta r$$

对于天平标牌读数误差，由两个检定操作人员进行估读，以避免误差发生。对于环境温度变化引起的误差，通过下列公式计算后可知约为 0.09mg，其中，Q 为天平秤盘砝码质量，m 为天平的横梁质量，a 是其材料的热膨胀系数，Δt 则表示天平两臂之间的温度差。

$$\Delta X = \left(\frac{m}{4} + Q\right) \cdot \alpha \cdot \Delta t$$

根据上述计算分析结果，代入被检定砝码 A 的误差计算公式后，经计算获取被检定砝码的误差值为 0.29mg，在考虑天平横梁不均匀受热下的系统误差因素，可以得出其最大误差值为 ±0.38mg。

$$\Delta A = |\Delta B| + |S \cdot \Delta L_2| + |L_2 \cdot \Delta S|$$

因此，根据对于被检定砝码精度要求的有关规定，最终得出被检定砝码最大误差范围为 0.4mg，也就是说本文初选天平精度满足砝码检定的精度需求。由此，根据上文所有计算分析可以得出，进行 200g 的二等标准砝码精度检定中，可以使用最大测量值为 200g，并且分度值为 0.04mg 的二级天平作为检定使用天平，在这一天平精度下能够获得相对理想的天平砝码检定精度。

三、砝码计量检定误差的控制对策

（一）砝码计量检定误差分析

1. 不可预见性误差

在砝码检定过程中会受外界多种因素的影响而使检定结果产生误差，这些影响是工作人员在正式开展检定之前不能准确预测到的，所以这种误差被称为不可预见性误差。由于不可预见性误差呈现出多样化的特点，没有相同的特性和发生规律，因此检定人员很难通过之前的固有经验规避不可预见性误差，这也大大增加了砝码计量检定工作的难度。

2. 可预见性误差

可预见性误差是有迹可循的。检定人员在正式开展检定之前可以结合相关实验资料，查阅相关信息，在资料中充分了解检定过程中可能存在的误差，借鉴学习误差处理方法和规避方法，进而更加高效地开展砝码计量检定工作。另外，可预见性误差具有隐蔽性，如砝码本身存在问题，在天平检定过程中受检定人员技术能力或检定装置影响，使天平处于平衡状态，造成检定结果出现误差。因此，检定人员在实际工作中要严格按照相关标准规定进行操作，最大限度地避免由检定人员操作或设备问题引起的误差，保证各个测量环节符合标准。

（二）砝码计量检定误差影响因素分析

1. 人为因素影响

砝码计量检定过程中，经常会遇到操作计量检定误差和生理计量检定误差等人为影响因素。这些影响因素大部分是由检定人员自身业务能力不强、操作技术不过关所引起的。同时，部分检定操作流程比较繁杂，检定人员没有熟练掌握检定流程，也没有按照检定规程的规定进行有效操作，在检定过程中随意删减检定项目，或任意编写检定数据，这些不应有的行为都会对砝码检定的精准性产生不良影响。所以检定人员需要不断提升自身专业综合能力和职业素养，降低人为因素对检定结果的影响。

2. 检测仪器影响

砝码放置位置的不同会引起检定结果产生误差，所以在检定时，检定人员应按照相关要求，合理放置砝码，以提高砝码检定数据的准确性。目前实验室使用的天平包含电子、等臂、不等臂等多种不同类型，各类型天平的使用和性能都存在一定差异，进而影响天平测量结果的准确性。所以在对砝码检定时要注意天平双臂的不平衡给砝码检定结果造成的影响。另外，相关工作人员对天平进行安装、调试和清洁过程中也可能对不同构件产生一定程度的摩擦，对天平的平衡性产生相应的影响，进而影响砝码检定的精确度。

3. 磁性影响因素

在砝码计量检定中，磁力会对检定结果的精准度产生一定影响。所以在砝码计量检定之前，检定人员需要测定砝码的磁性，保证在砝码计量检定过程中，磁性对检定结果的影响最小。

4. 温湿度影响因素

砝码检定时会受到温度的影响，如外界环境的温度变化对砝码检定的精准性会产生影响，同时温度还会造成天平不等臂和天平平衡点变化等问题，最终造成砝码检定结果产生误差。

湿度主要反映空气潮湿程度和空气中水蒸气含量，大多采用相对湿度表示，相对湿度越小，空气越干燥；反之，空气越潮湿。检定人员开展砝码的计量检定时，砝码表面会吸附不定量的水分子层，水分子层的厚度以及环境的湿度会影响砝码检定结果的准确性。

（三）砝码计量检定误差控制措施

1. 提高检定人员专业素养和综合能力

检定人员自身综合素养和能力水平对砝码计量检定工作起到了决定性的作用。因此，相关部门应加大人员教育培训力度，有效控制或消除因检定人员自身能力因素而产生的误差。

一方面，相关部门要开展周期性岗位培训，详细分析检定工作规程，针对砝码检定工作中使用的装置设备和检定对象的特点进行专题性培训，同时还要采取笔试、口试、实际操作等形式，丰富培训内容。培训内容应包含计量校准基础知识、专业技术知识、操作技能等内容，通过培训调动检定人员的积极性，提高检定人员的职业素质和技术能力。

另一方面，相关部门要制定科学合理的考核制度，更多注重砝码检定的细节和实践应用，按照要求进行操作考核，对培训效果进行客观综合的评估，总结培训工作的优点和缺点，有利于下次培训工作的开展。另外，相关部门可以采取奖惩机制，对工作优秀的人员进行物质奖励，对违规操作规范的人员进行相应处罚，进而有效促进检定人员不断优化自身能力和水平。

2. 加大对设备管理力度

第一，加强标准器的管理。要保证标准器按周期进行检定，如在周期内发现有失准的现象，应立即到上级技术部门进行校准。第二，加强设备管理。有标准器的出入库记录，当环境条件等情况发生变化时，应做好标准器的核查工作，确保标准器的计量性能。第三，对标准器进行必要的维护。尽可能避免标准器受外部温湿度、电磁和气流的影响，及时记录标准器使用的环境指标，有利于后期查询和分析工作。

3. 综合考虑影响因素

检定人员在砝码计量检定开始前，需要对天平不等臂、示值、偏载误差、标尺分度和天平重复性等进行详细检查，确保相关参数的精准性，消除产生检定误差的仪器设备影响因素。同时检定人员还要消除环境影响因素，如在实际操作中配置中央空调、温度和湿度计，同时保证其分度值符合相关要求。另外，砝码检定时要防止阳光直接照射到砝码上，检定环境温度保持 $18 \sim 23℃$ 为最佳，因为在该温度下能有效存取 E_1、E_2 等级的砝码。工作人员存放砝码过程中，也要有效控制温湿度，制定有效措施保持温湿度的稳定性，为砝码计量检定工作提供良好的环境。

4. 做好准备工作，注重细节工作

检定人员在检定前要做好充足的准备工作，全面清洁砝码。在砝码的日常使用过程中，要及时擦拭砝码，避免纤维、粉尘和空气中的水分对其产生不良影响，同时做好天平的摆放工作，保证其处于水平稳定的状态，同时保证放置天平的桌面要干净、清洁、平坦，始终处于稳定而无振动的状态。检定人员要更多地注意检定的细节，全面分析砝码检定中的各项影响因素，保证砝码检定工作顺利进行。

5. 加强监督，落实检定规程

监督工作的有效开展有利于相关工作人员及时发现检定工作中存在问题。因此，相关部门要高度重视监督措施的应用，对砝码检定工作的全过程进行监督管理，进而有效提升检定工作的实效性。

我国针对砝码检定工作已制定了 JJG 99—2006 检定规程，有效约束了操作细节，并提出误差纠正的相关算法。因此，相关单位要全面落实执行 JJG 99—2006 检定规程，定期组织人员学习规程中的要求和内容，保证检定人员熟练掌握规程中每条操作规则，同时正确理解误差计算方法原理，在砝码检定工作中灵活应用。

第三节 天平的检定

一、机械天平检定的注意事项

（一）机械天平检定前的注意事项

1. 认真学习《机械天平检定规程》（JJG 98—2019），正确理解规程的规定，熟练掌握检定方法。

2. 根据检定天平的铭牌确定检定步骤。例如，天平最大秤量是 200g，检定标尺分度值是 0.1mg，则最大秤量与检定标尺分度值之比为 $2×10^6$，查级别表得知此天平属于 3 级天平，根据 JJG 98—2019 的规定应该检定 17 步。

3. 机械天平的检定内容。机械天平的首次检定、后续检定和使用中检验内容共有 6 项，可以根据天平的结构选择其中的几项来进行检定。如：①外观检查；②天平的检定标尺分度值及其误差；③天平的横梁不等臂性误差；④天平的示值重复性；⑤游码标尺、链码标尺秤量误差；⑥机械挂砝码的组合误差。简单地讲，就是外观检查、机械天平计量性能的检定和机械砝码的检定。

4. 机械天平检定前的准备。①一对等重砝码（相当于天平的最大秤量，且两个砝码之间的误差不大于一个分度）；②一盒标准砝码（配有砝码镊子一把），该砝码的扩展不确定度不得大于被检天平在该载荷下的最大允许误差的 1/3；③一副称量手套；④计算器一个；⑤记录笔和天平检定记录表若干；⑥分度值不大于 0.2℃ 的温度计；⑦相对准确度不大于 5% 的干湿度计。

（二）机械天平检定中的注意事项

①天平应处于水平状态，天平平衡位置为零，并且无影响天平检定之故障；②检定中不能中途停止，否则应从头开始；③检定过程中要正确读数，认真记录，千万不要读错或记错，否则应重检；④天平经过调修应停放一段时间后才能进行检定。

（三）机械天平检定后的注意事项

天平检定的目的是为了确保天平的准确性和可靠性，无论是新购买的天平还是使用过一定时间的天平，都应该对其计量性能进行检查，看其是否保持并符合 JJG 98—2019 的规定。根据检定原始数据，通过数据处理，得出检定结论。检定合格的机械天平发给检定合格证书，不合格的天平发给检定结果。

二、影响机械天平计量准确性的因素

（一）机械天平计量准确性的重要意义及应用情况

机械天平是一种称量器具，它在各种行业的应用越来越广泛。我们在进行定量分析的过程中，分析结果的准确程度，对产品的质量、企业的经济效益以及企业的信誉都有很大的影响，甚至有时候微量的差别可能还会危及人们的健康和生命安全，给企业带来不应有的经济损失。

天平按照其构造可以分为机械天平与电子天平两类。机械天平又可分为杠杆式等臂天平与杠杆式不等臂天平两类。

（二）机械天平的工作原理

机械天平是称量物体质量的衡器，它是我们生活中的主要测量工具。我们在生产、生活中常用的天平一般是单杠杆结构，是运用杠杆的最基本物理原理"杠杆平衡时加在等力臂上的力相等"生产制造的，保证机械天平的准确度比较高。

（三）影响机械天平计量性能的因素

影响机械天平计量性能的情况和原因是多方面的，为了让天平使用者在各种不同情况下熟悉影响天平计量性能的因素，本节针对影响天平稳定性、灵敏性、不等臂性及示值变动性等计量性能分析以上各种不同因素。

1. 对天平稳定性影响因素的分析

天平的稳定性是指天平横梁受到扰动后，能够回到初始平衡位置的能力。它的这种稳定性主要决定于横梁重心的高低。重心离支点以下距离越远，天平也就越稳定；反之天平的稳定性也就越差。但是横梁的重心在支点的下方位置要适中，也并不是越低越好，这样反而将破坏天平的另一性能，即天平的灵敏性。

2. 对天平不等臂性影响因素的分析

天平的不等臂性是指天平的左、右两臂具有正确固定的比例关系。一般情况下能够影响天平不等臂性的因素比较多，其中两臂受热不均影响很大。即使对横梁一侧臂进行少量的加热，也可以导致衡量结果不正确。

3. 对天平灵敏性影响因素的分析

天平的灵敏性是指天平能感觉到放在秤盘上物体质量变化的能力。在对天平调修的过程中，非常普遍的现象就是经过长期使用后的天平，空载和两盘都加入等重量的物体时，灵敏度会变化，即空感和全感的变化不尽相同。因此，一定要保持天平要有足够的稳定性，不可以无止境地提高横梁重心的位置。

4. 对天平示值变动性影响的因素

天平的示值变动性就是指在相同重物的作用下，几次开关天平，天平平衡位置的重合能力。示值的变动性大小，和它的横梁结构因素及周围环境的影响因素有关。

（四）如何提高计量的准确性

天平称量的准确性是定量分析中的一个重要课题。我们分析误差的性质以及产生的原因，可以把这个误差分为系统误差、偶然误差和过失误差三种。在天平测量中误差主要来自系统误差，这类误差是由仪器本身不够精密造成的，可以利用以下几种方法加以改进，效果较好。

1. 校正法

尽量在同一台天平上使用同一组砝码，对于选择好的天平，使用前一定要先校正，克服天平本身所产生的系统误差。可选定一个已经称量准确的物体，用此物体来校正天平的精度，如果测量结果与准确物体不符合的话，就要分析原因，然后再校正。一般情况下，对于长期使用的砝码，由于磨损腐蚀等原因，也就不太准确，需要进行校正，通常只须对砝码进行相对校准。

2. 特殊称量法

对于任何一架完好的天平，两臂不可能完全相等，如天平两臂在受热不均匀时，臂长将发生改变，这时如果物体放在臂短的一边，得出的质量要比实际质量小；反之得出的质量比实际质量大，但可用以下三种方法解决这一问题。

（1）直接替代法。这种称量方法是在天平左盘上放置一个固定质量的物体，右盘加上砝码，使之与左盘重物平衡，然后在右盘上放上待称量的物体，再逐渐减除砝码，使天平重新平衡。由于测量只在同一盘上进行，另一盘中质量只为平衡用，所以抵消了不等臂性的误差。

（2）交替测量法。利用这一方法测量时，先把被测物体放在天平的左盘，右盘放砝码使天平平衡，得出物体的质量为 M_1；反之把被测物放在天平的右盘，左盘放砝码，等待天平平衡后，得出的质量为 M_2；所以被测重的物体真实的质量为 M_1 与 M_2 的乘积的开方值，因此按照数学上的几何平均值的原理计算出来的 M 值可以说是相对精确了。

（3）定点法。误差有绝对误差和相对误差，也都有正负之分。如果给定一台天平，这台天平的最大负载是一定的，那么它的称量误差也是一定的。天平所称的质量与负载有关，因此在这种情况下就可以使用定点法来减少误差，这种称量方法是定点使用天平某一负载，如果在这一点就必须选定相对接近天平的最大负载，用这个来减小天平本身的称量误差。综上所述，我们在利用天平进行测量时，要尽力地消除会诱发出现误差的种种情况，从各方面运用不同的各种测量方法，并且要一直进行分析总结，这样才能取得准确的测量数值。

（五）机械天平计量方法和计量设备的创新

提高天平计量准确性的方法有校正法、直接替代法、交替测量法以及定点法等方法，另外对机械天平的操作平台采取减振措施也能提高天平的计量准确性。

随着社会和经济的发展，机械天平在性能设计上也出现了很多创新，比如全自动机械分析天平，它的主要特点就是采用空气阻尼、停点迅速、机械加码、操作方便等。随着科学技术的不断发展，相信以后还会出现功能更加完善、使用更加方便的机械天平。

三、电子天平检定问题的分析和措施

电子天平的结构原理包括电磁力式传感器和应变片式传感器，相比于传统的称重设备，其对精准度有着更高的要求，能够更快地予以测定反馈，在生产经营活动中得到广泛应用。但因为内部结构的特殊性，外界因素会对设备产生较大影响，增加了计量偏差风险。因此，应当高度重视电子天平的检定工作，保证电子天平使用稳定性。

（一）电子天平检定问题

1. 环境问题

环境是影响电子天平计量偏差的主要因素，如环境温度变化会导致其内部精密部件出现一定的变化，对计量值的准确性产生影响。电磁力平衡式传感器是电子天平的主要构件，能够在使用电子天平时为其定位平衡点，若环境温度升高，将降低该部件的磁通量，使得电磁力失衡，在定位平衡点时存在偏差，导致设备读数不准确。在温度变化影响的同时，环境内的灰尘一旦进入电子天平的内部，会对电子天平的运行产生影响，如灰尘积攒过多会导致散热能力下降，对设备的使用寿命产生影响。另外，随着灰尘的聚集会产生一定的静电，导致电子天平内部构件出现故障，引发按键无反应、显示屏不显示示数等问题。

2. 人为问题

电子天平检定人员的工作状态、从业能力是影响电子天平检定结果的主要人为因素。重要的是检定人员的工作状态，在长期单一且枯燥的工作下，检定人员会产生倦怠感，导致在计量检定环节出现专注力下降的问题，诱发计量检定误差。

（二）提高电子天平检定质量的措施

1. 营造适宜的运行环境

电子天平是精密度较高的电子仪器，其具有灵敏度高、结构复杂、对环境条件要求高的特点。在对电子天平进行检定时，须确保环境温度、湿度等因素适宜。电子天平的适宜温度为18℃至26℃，每小时温度波动应低于0.5℃，环境湿度为55%至75%。摆放电子天平的台面应保证无气流和振动，控制好环境中微粒、灰尘等物质，减少对电子天平检定的影响。

2. 落实充分的准备工作

首先，标准砝码是对电子天平进行检定的主要工具，为保证检定结果准确，需要明确砝码的选择标准。用于检定的砝码的不确定度拓展须小于被检定电子天平在荷载范围内最大允许误差绝对值的三分之一，所选择标准砝码的磁性应符合要求，标准砝码应大于被检电子天平的最大称重值。其次，须对检定环境予以控制，将所选定的标准砝码和等待检测的电子天平放在同一环境下进行等温处理，保证电子天平所处台面的稳固性和平整性。最后，还须对电子天平做预热、校准以及预加载处理，确保检定结果的准确性。其中，预热即在检定前对电子天平进行预先通电加热。综上所述，温度会对电子天平产生影响，平衡式传感器是电子天平的关键结构，除了环境温度以外，设备内部元器件的问题也会使电子天平内部温度过高，进而产生误差。预先进行通电预热，使其内部磁钢可处于热平衡状态，稳定内部线路的电磁变化，使电子天平整体处于平衡状态。通过电子天平的置零按键，使其显示数值回归于零，调整电子天平为可使用状态。完成预热处理后，对电子天平进行校准处理，检定人员结合电子天平的具体型号进行校准，为接下来的检定工作奠定基础。预加载处理是对长时间未使用的电子天平进行短时间的加压和卸压。因长时间未使用，不仅内部传感器长期休眠，其金属弹片也停止运行，此时设备性能尚不稳定，称重结果有失准确性。因此，通过预加载处理，使电子天平内部传感器和弹片处于运行状态，保证检定结果准确。

3. 采取规范的检定方法

由于砝码在电子天平上的放置位置不同，会形成相应的偏载误差，须对设备的偏载误差进行检定。在检定偏载误差时，所选择的砝码质量为最大秤量的三分之一，尽量选择个数少的砝码，对于个数多的砝码，则在放置时须保证分布均匀，在测量范围内依照前后左右的顺序依次进行摆放。对每个位置的示数进行准确记录并对示数误差进行计算。在不同位置的示数误差需要满足相应载荷最大允许误差要求。

为确保测定结果具有良好的一致性，须进行重复性测定，在试验载荷时选择单个砝码，砝码质量为 80%~100% 的最大称重，再通过位置对试验载荷进行至少 6 次的测量，汇总测量结果后对差值进行计算，将差值小于荷载下最大允许误差的绝对值作为电子天平具有良好稳定性的标准，即检定合格。

将空载作为检定示数误差的起始点，逐渐增加载荷到最大的称重区间，在达到最大称重量程后逐渐卸载载荷，直至秤盘示数归零。在试验载荷过程中，须涵盖电子天平的空载、最小称重值、最大允许误差转换点下的载荷以及最大称重值。对于第一次进行检定的电子天平，须至少选择 10 个测量点，非首次检定的设备，可适当减少测量点，但不可少于 6 个。在加载和卸载过程中，工作人员须对载荷点的示数进行记录，并对示数误差进行计算，确保示值误差在载荷的最大允许误差范围内，保证检定准确性。

四、电子天平检定中标准砝码的选择

电子天平在使用过程中会受到多种因素的影响，在长时间使用后，难免会出现测量不准确的情况，因此，需要依据《电子天平》（GB/T 26497—2022）检定规程对电子天平进行定期检定。在检定过程中影响检定结果的一个重要因素就是标准砝码的选择。选择合适的标准砝码能够有效提高电子天平检定的效率，使电子天平能够达到预期的目标，保障电子天平在工业生产和日常生活中产生更加积极的影响。

由于电子天平的检定一般采用标准砝码，所以在选用标准砝码时，应根据《电子天平》检定规程的要求，从多个方面入手进行选择。在电子天平的检定时，需要配置满足《电子天平》检定规程要求的标准砝码。如果采用的是标准砝码的实际质量值，则标准砝码的不确定度应优于相应载荷最大允许误差的 1/3；如果采用的是标准砝码的标称值，则标准砝码的最大允许误差应优于相应载荷最大允许误差的 1/3。

（一）在电子天平检定中选择标准砝码时存在的问题

1. 标准砝码自身方面的问题

在对电子天平检定过程中，标准砝码的选择受到多种因素的影响，其中标准砝码本身带来的影响是导致检定存在问题的一个重要因素。在对标准砝码选择过程中未能够及时发现存在的问题，主要有以下两个方面的原因：第一，在电子天平检定中，对标准砝码进行处理的时候，并没有建立起一套完善的管理体系，导致处理工作开展的效率比较低，并且一些工作人员未能够树立正确的观念，不能够在标准砝码选择过程中提升工作效率；第二，在电子天平检定工作过程中，由于对标准砝码缺少科学的管理与控制制度，这就在一定程度上导致标准砝码的选择失去了合理性和准确性，进而影响了检定工作的效率和质量。

2. 标准砝码检定准确性比较差

在电子天平检定过程中，标准砝码的选择受到检定准确性的影响。如果没有对标准砝码开展相关的分析工作，并且在数据分析过程中如没有及时发现检定结果存在的问题，就无法利用一些科学的方法去提升检定结果的准确性；同时在实际检定过程中，缺乏比较科学的管理方式，最终导致在电子天平检定过程中选择标准砝码时出现问题。如果一些数据不能够得到有效的利用，而且相关数据的管理机制又不健全，这些都会对电子天平检定工作的质量产生严重影响。

3. 分析方法缺乏科学性

在电子天平检定工作过程中，相关分析工作的开展需要借助一定的分析方法，如果分析方法不够科学和合理，则会导致标准砝码的选择出现问题。在实际检定过程中，如果缺乏电子天平检定管理机制，在一定程度上会对检定数据的准确性产生影响，并且在检定工作中，没有针对标准砝码的选择建立科学的分析方法，最终导致选择的标准砝码不能够满足电子天平检定的实际需要，进而影响检定质量和效率。

（二）电子天平检定中标准砝码选择的具体措施

1. 解决标准砝码的自身问题

在进行检定时，所采用的标准砝码的大小与标准砝码的弹性系数有着直接关系。通过分析标准砝码的弹性系数可知，在进行检定时，所需的标准砝码与实际重量相差不大。而电子天平的传感器是由一种弹性材料制成，它的弹性系数很高。从以上情况可以看出，使用的标准砝码应该和电子天平的实际称量重量相当。基于以上的分析，在选用电子天平时，必须确保标准砝码与实际重量相符。而按照有关的需求，如果所选的标准砝码很小（低于1kg），那么在检定时很难形成弹力关系。一般要求选用重量大于等于 1kg 的 Milli-Q 标准砝码，并有良好的弹性系数。同时，在进行检测时，需要对其进行合理的品质调节。

2. 标准砝码的扩展不确定度计算措施

在检验标准砝码时，一般都要遵循电子天平的检验管理机制，运用特定的标准值进行检验。检定人员要先了解实际情况，把最大容许偏差控制在科学的范围内，以便更好地进行概率计算。

3. 标准砝码选择的影响及消减方法

检定过程中，若误选了一组准确度等级不高或稳定性差的砝码作为标准砝码来检定电子天平，那么测得的数据的可靠性将不能得到保证，也就不能对电子天平计量性能指标做出全面正确的评价。因此务必把握好标准砝码的选择关，要严格按照相关要求：选择的标准砝码的扩展不确定度（$k=2$）要小于或等于被检天平在该载荷下最大允许误差的绝对值的 $1/3$；砝码的重复性和稳定性要达标，即在规定的准确度范围内，任何一个质量标称值为 m_0 的单个砝码，其相邻两个周期的检定结果之差不得超过该砝码最大允许误差的 $1/3$。

在实际工作中，检定人员应树立正确观念，充分意识到标准砝码检定工作的重要性，且在工作中能够通过科学的方法与途径进行严格管理，在工作中提升整体检定工作水平。为了更好地对电子天平进行检定，应在工作之前进行统一要求，加大管理力度，创建现代化的管理系统，全面提升检定工作水平。另外，还需要不断提升检定人员的综合素质，确保其在检定过程中能够发挥出更大效能，有效降低检定中标准砝码选择问题的出现，提升电子天平检定质量。

4. 保证检定方法的科学性

在对电子天平进行检定过程中，需要根据电子天平的实际情况对其检定方法进行深入领会，确保检定方法具有较高科学性。在对电子天平检定时，首先，需要对电子天平的类型和称量范围进行全面了解，然后根据实际情况选择合适的检定方法，使检定方法能够与电子天平的实际情况高度吻合，有效提升检定结果的准确性，进而不断减少标准砝码选择时产生的问题。

其次，在实际的检定工作过程中需要对计算方式进行合理创新，并且需要根据实际情况进行分析，不断加大对标准砝码的研究和管理。在实际的管理工作中，可以利用一些科学管理方式，不断提升检定工作的实际效率，在对计算方式应用的时候，需要对相关工作要求进行明确，然后建立起完善的现代化管理体系，对各项工作的管理效率进行有效提升。

最后，需要对检定误差进行严格控制，如果检定误差过大则会导致检定结果不理想，不能够适应电子天平的使用要求。通过严格控制检定误差，能够保障电子天平检定效果不断提升。科学的检定方法对于电子天平检定结果能够产生重要影响，标准砝码的选择问题与检定方法的科学性具有直接关系。为了降低问题出现的概率，检定人员可以采取科学的检定方法，不断提升检定质量。

5. 保证检定装置的状态

对电子天平进行检定时，要对检定装置的状态进行严格控制。电子天平检定结果受检定装置的状态影响较大。因此，在电子天平检定工作开展过程中需要确保检定装置能够满足实际检定工作需要，避免因为检定装置状态不佳而出现检定误差的现象，最终影响到电子天平的实际使用。

在对电子天平进行检定前，需要按照相关操作要求对检定装置的状态进行调整，确保其能够具有较高的使用效果。在电子天平检定工作过程中，需要严格按照相关要求对检定装置进行操作，保障其能够具有最佳的运行状态。平时也需要做好检定装置的质保工作，定期对检定装置进行溯源和期间核查。

第三章 涂料分析与检测

第一节　涂料分析检测概述

一、涂料分析检测的目的与意义

（一）涂料分析检测的目的

涂料的性能决定了涂料的质量和涂料的用途，而涂料的性能是多方面的。为了从不同的角度对涂料性能进行评价，人们创造和制定了许多试验方法，这就是涂料的分析与检测。广义的涂料分析与检测包括因涂料基础理论研究、生产过程控制、产品性能质量控制和施工过程质量管理等方面而进行的各项检测工作，通常指对涂料产品进行性能检查和质量控制，主要包括对涂料本身性能检测和涂膜性能检测两个方面。

（二）涂料分析检测的意义

涂料的分析检测是涂料生产使用过程中不可缺少的重要环节，是制定涂料产品技术指标的主要依据，是用来评价涂料性能和质量的具体方法。

1. 通过有限的试验，对所研制的涂料产品进行考查，为选定产品的配方设计、工艺条件提供数据，并指导试验工作，从而建立产品技术规格和标准。

2. 通过对涂料进行分析检测，可以正确地反映涂料产品质量和控制产品质量。如在涂料生产过程中，通过对基料、色浆的各项性能检验，就可有效地对车间生产进行控制，可以保证正常生产；通过成品的出厂检验就能保证出厂产品批次质量的一致以及产品的性能和质量；使用单位在涂料使用前验收产品，进行各个项目的检测，考察涂膜是否能起到预期的装饰、保护、特种功能等作用，可以保证施工的正常进行。

3. 通过检测试验得出的数据，开展基础理论的研究，找出组分与性能之间的关系，从而发现原有产品存在的问题及改进的方向，为新的科研课题和新产品的开发提供依据。

因此，涂料分析检测可以说是开展涂料科学研究、实现涂料产品开发、保证生产和使用的正常的必要步骤和手段，是涂料标准化工作的一项重要内容，是在涂料生产和施工中全面推行质量管理和建立质量保证体系的前提与基础。

二、涂料分析与检测的依据与标准

（一）涂料分析与检测的依据

涂料的性能表示的是它的使用价值，而且是综合性的、广范围的和长时间的使用价值。涂料作为装饰保护材料使用，它属于高聚物材料，但涂料本身是半成品，所形成的涂膜才是高聚物材料。涂膜与塑料、橡胶、纤维等高聚物材料不同，不能独立存在，必须黏附在其他被涂物件上才能成为材料，所以涂料和涂膜既具有一般聚合物材料的通性，又有与一般聚合物材料不同的特性，其中最主要的是涂膜必须适应被涂物件材质性能的要求，与底材结合为一体。涂料是为被涂物件服务的材料，应用于被涂物件表面。由于被涂物件是多种多样的，使用条件千变万化，因而涂料与涂膜必须具备被涂物件所要求的性能，也就是以被涂物件的要求作为确定涂料和涂膜的性能的依据。

涂料的性能以涂料和涂膜的基本物理和化学性质为依据，但并不是全面的表示，通常提到的涂料的性能只表现了涂料和涂膜的基本性质中的某一部分。

（二）涂料分析与检测的内容

涂料的性能包括涂料产品本身和涂膜的性能，涂料产品本身的性能一般包括涂料在未使用前和使用时两个方面应具备的性能。

涂料在未使用前应具备的性能，又称涂料原始状态的性能，所表示的是涂料作为商品在贮存过程中的各方面性能和质量情况。涂料使用时应具备的性能，又称涂料施工性能，所表示的是涂料的使用方式、使用条件、形成涂膜所要求的条件以及在形成涂膜过程中涂料的表现等方面的情况。

涂膜的性能即涂膜应具备的性能，也是涂料最主要的性能。涂料产品本身的性能只是为了得到需要的涂膜，而涂膜性能才能表现涂料是否满足了被涂物件的使用要求，亦即涂膜性能表示涂料的装饰、保护和其他作用。涂膜性能包括范围很广，因被涂物件要求而异，主要有装饰方面、与被涂物件附着方面、机械强度方面、抵抗外来介质和大自然侵蚀以及自老化破坏等各种性能。

（三）涂料分析与检测常用技术指标

涂料的性能是多方面的，为了评价涂料具有什么样的性能，多年来相关部门创造和制定了许多的试验方法，从不同角度和方面对涂料性能进行考查，并尽量用数值来表示。这些表示数值就成为代表涂料某一方面性能的指示数值，即产品的技术指标。将主要的涂料产品技术指标所规定的数值综合起来以表示涂料的性能，就构成了涂料产品的标准。作为标准来说，它具有统一性、科学性、广泛性、约束性和可行性。技术指标又是以指定的检测方法的测定结果来表示。一个涂料产品研制和生产出来，要制定产品标准，作为评定产品的依据。

经过多年的实践，分别给予适当的名称来表示某一方面的涂料性能。例如涂料物理状态方面的有密度、黏度等，涂膜的光学性质方面的有光泽、颜色等，力学性能方面的有硬度、柔韧性等。随着涂料品种的发展，表示涂料性能的具体项目逐渐增加，现代的涂料性能的内容逐步接近涂料的实际要求。

（四）涂料分析与检测的标准

1. 标准的分类

根据标准协调统一的范围及适用范围的不同，可分为国际标准、区域性标准、国家标准、行业标准、地方标准、企业标准六类。按照标准化对象，通常把标准分为技术标准、管理标准和工作标准三大类。技术标准是指对标准化领域中需要协调统一的技术事项所制定的标准。技术标准包括基础技术标准、产品标准、工艺标准、检测试验方法标准及安全、卫生、环保标准等。管理标准是指对标准化领域中需要协调统一的管理事项所制定的标准。管理标准包括管理基础标准、技术管理标准、经济管理标准、行政管理标准、生产经营管理标准等。工作标准是指对工作的责任、权利、范围、质量要求、程序、效果、检查方法、考核办法所制定的标准。工作标准一般包括部门工作标准和岗位（个人）工作标准。

2. 标准的管理与机构

我国标准化工作实行统一管理与分工负责相结合的管理体制。按照国务院授权，在国家市场监督管理总局的管理下，国家标准化管理委员会（中华人民共和国国家标准化管理局）统一管理全国标准化工作。国务院有关行政主管部门和国务院授权的有关行业协会分工管理本部门、本行业的标准化工作。经国家标准化管理委员会批准组建，全国涂料和颜料标准化技术委员会（以下简称标委会）在涂料和颜料专业领域内从事全国性标准化工作的技术组织，负责涂料和颜料专业技术领域的标准化技术归口工作。标委会的主要工作内容包括：提出涂料和颜料专业标准化工作方针和政策的建议；提出涂料和颜料专业制修订国家标准及行业标准的长远规划与年度计划；组织制定涂料和颜料专业标准系表；组织涂料和颜料国家标准和行业标准的制修订、清理整顿及实施调查；组织参加国际标准化组织的活动并参与国际标准的制定；负责涂料和颜料国家标准和行业标准的宣贯及解释；提供相关标准化信息和资料；负责检验用标准样品的研制及发放；提供其他标准化咨询服务。

三、涂料分析检测与评价

（一）涂料分析与检测的特点

根据涂料产品及应用特性，涂料检验归纳起来有六个方面特点。

1. 涂料检测的重点是检测涂膜的性能，而对涂料产品本身状态的检测主要是考查产品质量的一致性。因而在涂料的成膜过程和成膜后性能的检测是对涂料产品品种质量评判的基础，是考核涂料质量的主要内容。这方面的检测方法发展得最多、最快。

2. 为尽量模仿实际条件，涂料性能的检测大多是在相应的底材上进行的，因此试验底材的选择和试验结果有一定的关系，更重要的是试验涂膜在底材上的制备工艺和质量对测试结果有显著的影响。

3. 单纯依据化学组成分析不能完全判定其质量状况，而是看它是否符合所要求的材料性能，故涂料性能的检测多以物理检查为主。此外，在物理性能检查中，一个检测方法测得的结果往往是几个性能的综合，例如，测柔韧性常用的弯曲试验，所反映的不单纯是柔韧性，还涉及涂料的硬度、附着力和延伸性。

4. 经过多年的发展，一个检测项目有了多种检测方法以后，但仍有些方法因为具有特色而被保留下来，这就形成了检测方法和仪器的多样化。涂料产品多种检测方法并存，同一检测项目的各种不同方法从不同角度进行检测，所得结果往往有差异，因此，在涂料检测时应针对产品性能在多种试验方法中选择最合适的方法。

5. 检测方法虽然经过多年发展，尽量用量值表示，但还有些检测项目是通过与标准状况比较，或者用变化程度如"无变化""轻微变化"等表示，在评定结果时干扰因素较多。还有，检测方法还没有全部仪器化，有些通过目测观察，易造成主观上的误差，增加了检测结果评定的难度。所以有些检验项目规定同时采用三块或更多块样板进行测试，以多数的结果作为最终判定结果。

6. 涂料产品通过检测，最后结果的评定对于同类产品的可比性较大，对于不同组成的产品可比性较小。由于检测项目是多方面的，对涂料性能的最后判断必须用各项指标来综合平衡，单独进行某项指标的比较，不能说明该产品性能的优劣。

（二）涂料及涂料体系综合性能评价法（TPE 法）

在新产品开发时，由于一种涂料实验得到的不同配方，性能上难以权衡，往往只能主观地和定性地来决定其中一个最佳的配方。在选择涂料品种时，为了满足一种特定的涂装要求，涂料需要很多项性能，而有些性能往往是互相抵触的，没有一种是所有性能都达到最好的"理想涂料"。这就要评价哪一种涂料的综合性能最好，更能接近于"理想涂料"，从而做出选择。20 世纪 90 年代提出的涂料及涂料体系综合性能评价法（TPE 法），不是一种实验方法，而是根据实验及其性能测试结果对涂料做出比较和评价的方法，它的基础是统计方法中的零极大技术，是决定多因素对总性能贡献的方法，并不是优化涂料的性质，而是量化各种性质对涂料综合性能的贡献，通过综合性能比较得到 TPE 等级来定量地和客观地做出选择。TPE 法提供了一种比较客观的评价涂料综合性能的方法，对于新品种开发和选用涂料都很有实际意义。

第二节　涂料的分类

一、定义

涂覆于物体表面能形成具有保护、装饰或特殊功能（如绝缘、防腐、标志等）的固态涂膜的一类液体或固体材料，统称为"涂料"。

早期的涂料主要采用天然树脂（人造树脂、合成树脂）、干性油（桐油、亚麻油、苏子油等）、半干性油（豆油、菜籽油、棉籽油等）制作，故称为油漆。后来，人们习惯把采用溶剂型材质制作的涂料叫作油漆，把采用乳液型材质制作的叫作乳胶漆。现在，不管过去称为"油漆"的材料，还是后来称为"乳胶漆"的材料，统称为"涂料"。

二、涂料的主要功能

（一）保护作用

暴露在室外大气中的屋顶、外墙面要经受空气、酸雨、温度变化、冻融的作用会产生风化的自然损坏；室内的墙面、地面在潮气、水气、磨损等作用下也会产生损坏和变形。

如金属材料的锈蚀、木材的腐朽等。室内和室外的材料采用涂料封装后，会使这些材料的耐磨、耐候、耐腐蚀、抗污染等性能发生明显的改变。

（二）装饰作用

涂料的花色品种繁多、施工方法多样（包括喷涂、弹涂、滚涂、拉毛等），可以获得纹理、图案、质感等多样装饰效果，使建筑装饰饰面与建筑形体、建筑环境协调一致。

（三）其他作用

涂料还可以满足采光、吸声、隔声等建筑物理方面的要求，亦可满足防火、防腐、防静电、防腐等特殊性能要求。

三、涂料的原材料组成

（一）主要成膜物质

1. 油料

油料是涂料工业中使用最早的成膜材料，是制造油性涂料和油基涂料的主要原料，但并非各种涂料中都要含有油料。

涂料中使用的油料主要是植物油，按其能否干结成膜以及成膜的快慢，分为干性油（桐油、梓油、亚麻油、苏子油等）、半干性油（豆油、菜籽油、棉籽油等）、不干性油（蓖麻油、椰子油、花生油等）。干性油涂于物体表面，受到空气的氧化作用和自身的聚合作用，经过约一周的时间能形成坚硬的油膜，且耐水而富于弹性。半干性油干燥时间较长，约需一周以上的时间，形成的油膜较软而且有发黏现象。不干性油在正常条件下不能自行干燥而形成油膜，不能直接用于制造涂料。

2. 树脂

只用油料虽可制成涂料，但这种涂料形成的涂膜在硬度、光泽、耐水、耐酸碱等方面的性能往往不能满足现代科学技术的要求。因此，在现代建筑涂料中，大量采用性能优异的树脂作为涂料的主要成膜物质。

涂料用的树脂有天然树脂、人造树脂和合成树脂三类。天然树脂为松香、虫胶、沥青等；人造树脂由天然高分子化合物经加工而制得，如松香甘油酯（酯胶）、硝化纤维等；合成树脂是由有机单体经聚合或缩聚而制得，如过氯乙烯树脂、环氧树脂、酚醛树脂、醇酸树脂、丙烯酸树脂等。利用合成树脂制得的涂料性能优异、涂膜光泽好，是现代涂料生产中首选的树脂。

由于每种树脂各有其特性，为了满足多方面要求，往往在一种涂料中采用几种树脂或树脂与油料的混合，因此要求应用于涂料的树脂之间或树脂与油料之间应有很好的混溶性。另外，为了满足施工需要的黏度，树脂在溶剂中应具有良好的溶解性。

（二）次要成膜物质

次要成膜物质也是构成涂膜的组成部分，主要指涂料中的颜料。颜料是一种不溶于水、溶剂或涂料基料的微细粉末状有色物质，它能均匀分散在涂料介质中形成悬浮物。颜料能使涂膜具有各种颜色，使涂料品种增多；同时还能增加涂膜的强度，减少涂膜的收缩；阻止紫外线穿透，从而提高涂膜的耐久性和抗老化能力。有些特殊颜料能使涂膜具有抑制金属腐蚀、耐高温的特殊效果。

颜料的品种很多，按其化学组成可分为有机颜料和无机颜料；按其来源可分为天然颜料与人造颜料；按其在涂料中所起主要作用可分为着色颜料、体质颜料和防锈颜料。

1. 着色颜料

着色颜料的主要作用是使着色物遮盖物面，是颜料中品种最多的一类。着色颜料按它们在涂料使用时所显示的色彩可分为红、黄、蓝、白、黑、金属光泽等，如氧化铁红、氧化铁黄、群青、钛白、铝粉等。

2. 体质颜料

体质颜料又称"填充颜料"，其作用是改善涂膜机械性能、增加涂膜厚度减少涂膜收缩、提高涂膜耐磨能力、降低涂膜成本等。体质颜料大部分为白色或无色，它在涂料中的遮盖能力很低，基本上是透明的，不能阻止光线透过涂膜，也不能给涂料以美丽的颜色，即不具备遮盖力和着色力。体质颜料主要是一些碱土金属盐、硅酸盐和镁、铝的金属盐，如硫酸钡、碳酸钙、滑石粉、云母粉、瓷土等。

3. 防锈颜料

防锈颜料主要用于防止金属材料的锈蚀。常用的有红丹、锌铬黄、氧化铁红和铝粉等。红丹是目前钢铁防锈涂料的主要防锈颜料。铝及铝合金所用的防锈颜料是锌铬黄。

（三）辅助成膜物质

辅助成膜物质不能构成涂膜，但对涂膜的成膜过程有很大影响，或对涂膜的性能起一些辅助作用。辅助成膜物质主要包括溶剂和辅助材料两大类。

1. 溶剂

溶剂是能挥发的液体，具有溶解成膜物质的能力，可降低涂料的黏度以达到施工的要求，但它能影响涂膜的形成质量和涂料的成本。

（1）溶剂的基本性质

溶解能力：某些树脂或油脂只能溶于某些类型的溶剂中。有机化合物分子一般分为极性和非极性两种，极性固体很容易溶于极性溶剂而不溶于非极性溶剂。溶剂具有与胶黏剂相类似的官能团时，则具有最好的溶解度。例如，带有羟基的极性较强的树脂能很好地溶解在酒精中，过氯乙烯树脂能溶于氯化烃中，干性油、沥青和弱极性分子的树脂不溶于极性溶剂而能很好地溶解在汽油、松香水、松节油等烃类化合物中。由溶解能力高的溶剂制成的涂料黏度低、浓度高，故涂刷后能得到机械强度高的厚涂膜。某些溶剂不能单独使用，只有在助溶剂的作用下才有溶解能力。

挥发性：溶剂的挥发性取决于它的蒸气压。使用易挥发的溶剂，涂膜能很快干燥，但溶剂蒸发得过快，能引起涂膜周围空气迅速冷却，会在尚未干燥的涂膜上形成冷凝水，并可能引起胶黏剂局部沉淀而使涂膜发白。此时最好使用中等挥发的溶剂，如乙醇、二甲苯或各种不同挥发度的溶剂混合物。随着溶剂的挥发，胶黏剂的浓度增加，溶剂的挥发速度也随之缓慢，涂膜形成之后通常还剩 $2\% \sim 5\%$ 的溶剂，有时需几昼夜才能完全挥发掉。

易燃性：除了氧化烃类外，有机溶剂几乎都是易燃液体，其挥发气体与空气混合后，如果浓度适合具有爆炸性，在选用溶剂时必须注意。

毒性：有些溶剂的挥发性气体吸入后能伤害人体，如氧化烃类的蒸气有麻醉作用等。一般说来，松香水和松节油毒性不强。

（2）溶剂的基本种类

石油溶剂：主要是链状化合物，是由石油分馏而得。在涂料中最常用的为 $150 \sim 200℃$ 馏出物，俗称松香水。它的最大优点是无毒、溶解能力属中等，可与很多有机溶剂互溶，可溶解油类和黏度不太高的聚合物，且价格低廉，在涂料工业中用量很大。

煤焦油溶剂：由煤焦油蒸馏而得，包括苯、甲苯、二甲苯等，多属于芳香烃类溶剂，溶解力大于烷烃溶剂，能溶解很多树脂，但对人体毒性较大，因此使用时要慎重。一般二甲苯和甲苯的溶解能力强，挥发速度适当，工程中较常用。

2. 辅助材料

成膜物质、颜料和溶剂，是涂料的原材料。但为了改善涂料性能，常使用一些辅助材料，包括催干剂、增塑剂、润湿剂、悬浮剂、紫外线吸收剂、稳定剂等，这些材料各具特长，用量很少，一般是百分之几或更少，但作用显著。涂料中的催干剂、增塑剂用量较多，特种涂料中还有阻燃剂、杀菌剂等。

四、建筑涂料分类

建筑涂料是用于建筑物外墙、内墙、顶棚、地面、卫生间等部位涂料的统称。实际上建筑涂料还包括防火涂料、防水涂料、防腐涂料、保温隔热涂料等功能性涂料。

建筑涂料的分类方法包括按构成涂膜主要成膜物质的化学成分划分、按构成涂膜的主要成膜物质划分、按建筑涂料的主要功能划分、按建筑物的使用部位划分等。

（一）按主要成膜物质的化学成分划分

1. 有机涂料

有机涂料包括三种类型。

（1）溶剂型涂料

溶剂型涂料是以高分子合成树脂为主要成膜物质，有机溶剂为稀释剂，加入适量的颜料、填料（体质颜料）及辅助材料，经研磨而成的涂料。

溶剂型涂料形成的涂膜细腻光洁而坚韧，有较高的硬度、光泽和耐水性、耐候性，气密性好，耐酸碱，对建筑物有较强的保护性，使用温度可以低至0℃。它的主要缺点是：易燃，溶剂挥发对人体有害，施工时要求基层干燥，涂膜透气性差，而且价格较贵。

（2）水溶性涂料

水溶性涂料是以水溶性合成树脂为主要成膜物质，以水为稀释剂，加入适量的颜料、填料及辅助材料，经研磨而成的涂料。

这类涂料的水溶性树脂，可直接溶于水中，与水形成单相的溶液。它的耐水性较差、耐候性不强、耐洗刷性差，一般只用于内墙涂料。

（3）乳胶涂料

乳胶涂料又称乳胶漆。它是由合成树脂借助乳化剂的作用，以$0.1 \sim 0.5 \mu m$的极细微粒子分散于水中构成的乳液，并以乳液为主要成膜物，加入适量的颜料、填料、辅助材料，经研磨而成的涂料。

这种涂料由于省去了价格较贵的有机溶剂，以水为稀释剂，所以价格较便宜，且无毒、不燃、对人体无害，有一定的透气性，涂布时不需要基层很干燥，涂膜固化后的耐水、耐擦洗性较好，可作为内外墙建筑涂料。施工温度一般应在10℃以上，用于潮湿的部位时易发霉，需加防霉剂。

2. 无机涂料

无机涂料是最早的一类涂料，传统的石灰水、大白粉、可赛银等就是以生石灰、碳酸钙、滑石粉等为主要原料加适量动植物胶配制而成的内墙涂刷材料。它的耐水性差、涂膜质地疏松、易起粉，目前已被以合成树脂为基料配制成的各种涂料所取代。

3. 无机-有机复合涂料

有机涂料或无机涂料虽有上述很多优点，但在单独使用时，总有这样或那样的不足，为取长补短，各自发挥优势，无机、有机相结合的复合涂料相继出现。如聚乙烯醇水玻璃内墙涂料就比单纯使用聚乙烯醇涂料的耐水性有所提高，硅溶胶、丙烯酸系列复合的外墙涂料在涂膜的柔韧性及耐候性方面更能适应大气温度差的变化。总之，无机、有机复合建筑涂料在降低成本、改善建筑涂料的性能、更好地适应建筑装饰的要求等方面提供了一条更切实可行的途径。

（二）按主要成膜物质分类

建筑涂料按构成涂膜的主要成膜物质，可将涂料分为聚乙烯醇系建筑涂料、丙烯酸系建筑涂料、氯化橡胶外墙涂料、聚氨酯建筑涂料和水玻璃及硅溶胶建筑涂料等。

（三）按建筑物的使用部位

按建筑物的使用部位将建筑涂料分为外墙涂料、内墙涂料、顶棚涂料、地面涂料和屋面防水涂料等。根据它们涂刷于建筑物的部位不同，对涂料性能的要求，亦有各自不同的侧重。

（四）其他分类

建筑涂料按功能分为装饰性涂料、防火涂料、保温涂料、防腐涂料、防水涂料等，以及按涂膜的状态将涂料分为薄质涂料，厚质涂料，壁涂料及变形凹、凸花纹涂料等。

五、外墙涂料

（一）特点与性能

外墙涂料的主要功能是装饰和保护建筑物的外墙面。外墙涂料应具有以下特点：①装饰效果好：应用丰富的色彩和质感来美化建筑物表面，改变建筑物外观形象；色彩应经久耐用，以保持装饰性。②耐水性好：外墙面暴露在大气中，经常受雨水冲刷，因而应有较好的耐水性。③耐候性好：涂层暴露在大气中，要经受冷热和日光、紫外线的辐射，风沙、酸雨的侵蚀等，因而应有较好的耐候性和抗老化性。④耐污染性好并易清洁。⑤耐霉变性能好：涂膜可以抑制霉菌和藻类繁殖生长。⑥施工维修方便/价格合理。

（二）外墙涂料的主要品种

1. 合成树脂乳液外墙涂料

以合成树脂乳液为主要成膜物质，与颜料、体质颜料及各种助剂配制而成的，施涂后能形成表面平整的薄质涂层的外墙涂料。

2. 溶剂性外墙涂料

以合成树脂为主要成膜物质，与颜料、体质颜料及各种功能助剂配制而成的，施涂后能形成表面平整的薄质涂层的外墙涂料。

3. 外墙无机建筑涂料

以碱金属硅酸盐或硅溶液为主要胶黏剂，与颜料、体质颜料及各种助剂配制而成的，施涂后形成薄质涂层的外墙涂料。有时还将无机涂料与有机涂料一起使用，形成有机-无机复合涂料。

4. 砂壁状外墙涂料

砂壁状涂料（俗称真石漆）是采用合成树脂乳液、天然彩砂（石英砂）、多种功能性助剂复配而成，经过喷涂（或抹涂）施工形成具有天然石材装饰效果的建筑涂料，是合成树脂乳液砂壁状建筑涂料的一种。通过采用不同颜色、不同粒径的天然彩砂组合搭配可以形成多种装饰效果。因砂壁状涂料颜色取决于天然彩砂的颜色，因此砂壁状涂料具有较高的颜色稳定性，同时涂膜耐水性、耐碱性和户外耐久性也较好。但由于涂膜一般比较粗糙，因此耐沾污性稍差，容易积灰尘，可以通过施工工艺和配方调整改进涂膜的耐沾污性。

5. 溶剂型金属漆和水性金属漆

金属漆是用金属颜料，如铜粉、铝粉等作为颜料所配制的一种高档建筑涂料。金属漆具有金属闪光质感，能够提高建筑物的档次，充分彰显高贵、典雅的气质。一般有水性和溶剂型两种。由于金属粉末在水和空气中不稳定，常发生化学反应而变质，因此其表面需要进行特殊处理，致使用于水性涂料中的金属粉价格昂贵，使用受到限制，目前还是以溶剂型涂料为主。

六、内墙涂料及顶棚涂料

内墙涂料也可用作顶棚涂料，它的主要功能是装饰及保护内墙墙面及顶棚，使其美观，达到良好的装饰效果。

（一）内墙涂料应具有的特点

1. 色彩丰富、质地平滑。内墙涂料的色彩一般应浅淡、明亮，由于使用者对色调的喜爱不同，要求色彩鲜明、品种丰富。内墙与人的目视距离最近，要求内墙涂料应质地平滑、细腻，色调柔和。

2. 耐碱、耐水性好，且不易粉化。由于墙面多带有碱性，室内湿度较高，同时为保持内墙洁净，有时需要洗刷，所以内墙涂料必须有一定的耐水、耐洗刷性。

3. 透气性、排湿性好。为避免墙面因温度变化而出现结露现象，要求内墙涂料应有较好的透气性和排湿性。

4. 无毒、无污染、无对人体有害的成分。如甲醛、甲苯、氨等有害物质应在允许的范围内。

（二）常用的内墙、顶棚涂料

1. 合成树脂乳液内墙涂料（乳胶漆）

以合成树脂乳液为成膜物质，与颜料、体质颜料及各种助剂配制而成的，施涂后能形成表面平整的薄质涂层的内墙用建筑涂料为合成树脂乳液内墙涂料，市场上统称乳胶漆。是家居装饰广泛应用的内墙涂料，常用品种有硅-丙乳液涂料、乙-丙乳液涂料、丙烯酸乳液涂料、聚氨酯-丙烯酸涂料。

（1）硅-丙乳液涂料

硅-丙乳液涂料又称硅溶胶-丙烯酸乳液涂料，是采用硅溶胶与丙烯酸树脂乳液混合共聚制成主要成膜物，再加助剂、溶剂、颜料、填料经研磨而制成的涂料。

①特点

它既保持了无机涂料的硬度，又具有一定的有机柔韧性、快干和易刷涂性，涂刷干燥后表面平滑光洁，不起粉，耐候性、耐久性较好，具有很好的装饰性，且价格较低，是一种使用广泛的品种。硅-丙乳液涂料可制成多彩涂料。

②品种和用途

硅-丙乳液内墙涂料颜色有奶白、奶黄、湖蓝、果绿、淡青、橘黄、淡橘红等。一般适用于住宅、商店、学校、医院、旅馆、剧院等建筑室内墙面、顶棚装修。

（2）聚氨酯-丙烯酸乳液涂料

由聚氨酯-丙烯酸酯共聚乳液加助剂、溶剂、少量颜色、填料，经搅拌、研磨等工序制成的一种涂料。

①特点

聚氨酯-丙烯酸乳液涂料无毒、无味、干燥快、遮盖力强，涂后表面光洁，冬季在较低温度下不冻结，耐潮湿，耐擦洗，施工易操作。涂料中加入聚苯乙烯泡沫塑料颗粒，喷涂墙面或顶棚，可取得很好的装饰效果。

②用途

聚氨酯-丙烯酸乳液涂料耐水、耐擦洗、耐潮，适用范围与硅-丙乳液涂料完全相同。另外还可用于厨房、厕所、仓库等潮湿房间。

（3）乙-丙乳液涂料

乙-丙乳液涂料，是以聚乙烯与丙烯酸酯共聚乳液为主要成膜物质，掺入适量的填料及少量的颜料，加入助剂、溶剂，经研磨、分散后配制而成。

①特点

乙-丙乳液涂料分为半光和有光两种涂料，其耐碱性、耐水性、耐久性都很好，并具有光泽，是一种高档内墙涂料。此外，其还具有外观细腻、保色性好等特点。

②用途

乙-丙乳液涂料是一种中高档内墙涂料，适用于居住、学校、商业、影剧院、办公、旅馆等建筑内墙涂料。

（4）丙烯酸乳液涂料

丙烯酸乳液涂料是以丙烯酸酯乳液为基料，加助剂、增稠剂、填料等，经混合、搅拌、研磨、过滤等工序制成，也可以加水稀释研磨制成水性涂料。

丙烯酸乳液涂料无毒、无味、不燃、透气性好、耐水性好、附着力强、色彩鲜艳，它属于一种高档涂料，它的生产和其合成树脂乳液无太大差别，只是生产配料更讲究，乳液的固体含量较高，约为50%，用量约为涂料质量的30%。掺入防霉剂即可制成防霉涂料。掺入防锈剂可制成防锈漆。

2. 其他内墙装饰涂料

（1）幻彩涂料

幻彩涂料又称梦幻涂料，是用特种树脂乳液和专门的有机、无机颜料制成的高档水性内墙涂料。

幻彩涂料的种类较多，按组成的成分不同分为：用特殊树脂与专门的有机、无机颜料复合而成的；用特殊树脂与专门制得的多彩金属化树脂颗粒复合而成的；用特殊树脂与专门制得的多彩纤维复合而成的。其中使用较多、应用较为广泛的为第一种，该类又按是否使用珠光颜料分为两种。特殊的珠光颜料赋予涂膜以梦幻般的感觉，使涂膜呈现珍珠、贝壳、飞鸟、游鱼等所具有的优美光泽。

幻彩涂料适用于混凝土、砂浆、石膏、木材、玻璃、金属等多种基层材料，它要求基层材料清洁、干燥、平整、坚硬。

幻彩涂料主要应用于办公室、住宅、宾馆、商店、会议室等的内墙、顶棚等场合。

（2）仿绒涂料

仿绒涂料不含纤维，是由树脂乳液和不同色彩聚合物微料配制的涂料。其涂层富有弹性，色彩图案丰富，有一种类似于织物的绒面效果，给人以柔和、高雅的感觉。适用于内墙装饰，也可用于室外，特别适合于局部装饰。

（3）纤维涂料

纤维涂料也称为锦壁涂料，是由织物纤维配制而成的，可采用抹涂施工，形成 2～3mm 厚的饰面层。适合局部装饰与木质护墙板配合使用进行室内装饰，装饰效果柔和华贵。

（4）纳米改性内墙漆

纳米改性内墙漆是利用纳米技术改性的新型高档内墙涂料，涂料使用的纳米改性剂，具有独特的表面结构，使之具有不被水浸湿的特点，能最大限度地降低水和灰尘与涂料的附着力，从而使墙面保持长久的清洁和干爽。该涂料除具有上述独特的纳米改性性能外，耐酸碱、耐擦洗、保色、保光及与墙体黏结力等方面均优于传统高档内墙乳胶漆，具有气味清新、安全健康、绿色环保、涂膜美观典雅、牢固耐久等特性。

纳米抗菌内墙漆采用纳米光催化和金属离子双重杀菌机理，属纯物理作用，不含任何化学杀菌成分，作用持久、安全，为无毒级产品。纳米光催化剂在光照条件下具有分解有害气体、有机污染物的功能，对降低室内有害气体含量、净化空气有一定的作用。零 VOC 抗菌漆，除具有与纳米抗菌内墙漆相同的抗菌作用外，气味极低，挥发性有机化合物 VOC 接近于零，做到了无菌、无味与高品质的统一。

①适用范围

适用于混凝土、水泥砂浆、水泥板、石膏板等材质的内墙面和顶棚，也适用于内墙旧的有机物涂层表面的重涂。

纳米抗菌内墙漆及零 VOC 抗菌漆尤其适用于家庭、宾馆、医院和学校等场所的室内装修，可满足对卫生条件要求较高的食品、制药等行业及老人、儿童房间装修的需要。

②选用要点

几种纳米内墙漆的耐洗刷性及有害物质限量，均优于国家标准，可以满足较高设计标准的要求；对抗菌性有较高要求时，优先选用纳米抗菌内墙漆；对室内卫生环保有较高要求时，优先选用零 VOC 抗菌漆；配套材料宜选用多功能抗碱封闭底漆。

（5）云彩涂料

以合成树脂乳液为主要成膜物质，以珠光颜料为主要颜料，具有特殊流变特性和珍珠光泽的涂料。

3. 功能性建筑涂料

（1）饰面型防火涂料

饰面型防火涂料，既具有阻燃防火性能，又具有装饰性。

（2）防蚊蝇涂料

防蚊蝇涂料又称杀虫涂料，具有装饰和保护功能，还能够杀灭苍蝇、蚊子、蟑螂、跳蚤、臭虫和蜘蛛等虫害，可用于住宅、医院、宾馆、办公室、公共厕所、仓库、车船、食品厂、饭店和剧院等场所。防蚊蝇涂料品种较多，一般均采用合成树脂乳液为成膜物质，并采用复合杀虫剂。杀虫剂组分均衡而缓慢地从涂层表面析出，具有长效低毒作用，涂料为水性涂料，符合环保要求，对人体健康不会有不利影响。

防蚊蝇涂料应严禁和其他涂料混用，以免削弱甚至于使防蚊蝇涂料丧失功效。

（3）防霉抗菌涂料

在潮湿的建筑物内、外墙墙面，地面，顶棚等部位存在着霉菌。受到霉菌侵蚀的涂层会褪色、沾污以致脱落。在医院、食品加工厂、酿造厂、制药厂等带有霉菌的室内环境中，墙面常会附着各种霉菌滋生、繁殖，会使室内受到霉菌侵蚀，从而威胁人们的健康。这些场所应使用具有防霉、抗菌功能的涂料。

防霉抗菌涂料是水性涂料，符合环保要求，同时涂料的防霉抗菌性能也具有广谱、高效、持久的防霉、抑制真菌生长和杀灭真菌的作用。

（4）内墙防水涂料

这种涂料是以丙烯酸酯为基料，加入防水剂、助剂、颜料、填料等经研磨制成。具有良好的耐擦洗、防潮性、防水性能，质感细腻、色彩鲜艳持久，耐碱性达720h，耐水性达3 000h，装饰效果好，表面光亮度可接近瓷砖效果。一般采用刷涂施工。要求基底抹防水砂浆、刮防水腻子。适用于浴室、厕所、厨房等潮湿部位。

（5）有机硅建筑防水剂

这种涂料的主要成分为甲基硅酸钠。它无色、透明，保护物体色彩不褪，具有防水、防潮、防尘、防渗漏、防腐蚀、防风化、防开裂、防老化等特点。有机硅建筑防水剂适用于土壁、石墙、文物、浴室、厕所、厨房墙面的罩面，刷涂、喷涂施工均可。施工后24h内应防止雨淋。该涂料以水为稀释剂。

（6）丙烯酸厂房防腐漆

这种涂料的主要成分为丙烯酸树脂。它具有快干、保色、耐腐蚀、防潮湿、防烟雾、防霉变等特点。这种涂料主要用于厂房内外墙防腐与涂刷装修，喷涂、刷涂、辊涂均可，表面干燥只需1/3h，全部干燥只需1/2h。

（7）钢结构防火涂料

这种涂料的主要成分为无机胶、蛭石、骨料，涂层厚度28mm，耐火极限3h（涂层厚度在20~25mm时，即能满足一级耐火标准要求）。钢结构防火涂料适用于钢结构和钢筋混凝土结构的梁、柱、墙及楼板的防火阻挡层。可以采用喷涂施工，最低施工温度为5℃。

（8）预应力混凝土楼板防火隔热涂料

这种涂料的主要成分为无毒黏结剂、珍珠岩、硅酸铝。在预应力钢筋混凝土楼板上喷涂涂料 5mm，耐火极限可提高 2h。采用本品一般喷 3 遍，最低施工温度为 5℃。

（9）水性内墙防霉涂料

这种涂料是由合成树脂借助乳化剂在水中构成乳液为主要成膜物，加入颜料、填料、助剂和防霉剂，经研磨而成。它是以水为稀释剂，无毒、不燃，有一定透气性，耐水防霉，耐擦洗。适用于潮湿房间，施工要求气温在 10℃ 以上。

（10）反射隔热涂料

以合成树脂乳液为成膜物质，与功能性颜（填）料（如红外颜料、空心微珠、金属微粒等）及助剂等配制而成，施涂于建筑物表面，具有较高太阳光反射比和较高半球发射率。

（11）交联型氟树脂涂料

指以含反应性官能团的氟树脂为主要成膜物，加颜料、填料、溶剂、助剂等，以脂肪族多异氰酸酯树脂为固化剂的双组分常温固化型涂料。

（12）水性复合岩片仿花岗石涂料

以彩色复合岩片和石材颗粒等为骨料，以合成树脂乳液为主要成膜物质，通过喷涂等施工工艺在建筑物表面上形成具有花岗岩质感涂层的建筑涂料。

（13）水性多彩建筑涂料

将水性着色胶体颗粒分散于水性乳胶漆中制成的建筑涂料。

（14）防腐涂料

①醇酸涂料：以醇酸树脂为主要成膜物质配制而成的涂料。

②环氧涂料：以环氧树脂为成膜物质配制而成的涂料。

③环氧沥青涂料：以环氧树脂和煤焦沥青为成膜物质，加入颜料、体质颜料、溶剂及固化剂配制而成的涂料。

④氯化橡胶涂料：以氯化橡胶为主要成膜物质配制而成的涂料。

⑤氯磺化聚乙烯涂料：以氯磺化聚乙烯橡胶为主要成膜物质配制而成的涂料。

⑥聚苯乙烯涂料：以聚苯乙烯为成膜物质，加入颜（填）料、助剂等配制而成的涂料。

⑦聚氯乙烯含氟涂料：含萤丹填料的聚氯乙烯涂料。

⑧有机硅耐高温防腐蚀涂料：以有机硅聚合物或有机硅改性聚合物为主要成膜物质配制而成的耐高温防腐蚀涂料。

⑨高筑化聚乙烯防腐涂料：以高氯化聚乙烯树脂为主要成膜物质配制而成的防腐涂料。

⑩氯醚涂料：以氯醚树脂、改性树脂为主要成膜物质配制而成的涂料。

⑪防锈底涂料：以环氧树脂和煤焦沥青为成膜物质，加入防锈颜料及各种助剂经研磨分散配制而成的底层涂料。

⑫富锌底涂料：指直接与被涂覆材料界面接触的、锌粉含量较高的底层涂料。

⑬环氧云铁涂料：含鳞片状云母氧化铁填料的环氧涂料。

⑭聚氨酯涂料：以聚氨酯树脂为主要成膜物质配制而成的涂料。

⑮氟碳涂料：以氟烯烃聚合物或氟烯烃与其他单体的共聚物为成膜物质的涂料。

⑯聚有机硅氧烷涂料：以聚有机硅氧烷与其他单体共聚物为成膜物质的涂料。

⑰无溶剂型涂料：不含可挥发性组分的液体涂料。

第三节　涂料的检测

一、建筑涂料中有毒有害物质的检测方法

建筑涂料是一种极为常见的建筑材料，在建筑行业的发展中发挥了重要的作用。目前，国家已经针对劣质建筑涂料做出了明确规定，要求将劣质涂料中存在的有毒有害物质控制在安全标准范围内。但是，市场上对于建筑涂料有毒有害物质的检测方法依然存在一定的不足，导致人们在购买建筑涂料时无法明确自身所选择的产品是否达标。本节对当前市场上存在的主要建筑涂料中有毒有害物质的检测方法进行了详细的研究。

近些年来，随着我国经济的快速发展，人民生活水平的不断提升，人们对于建筑涂料的要求也越来越高。但在很多时候，一些施工企业常常会选择价格较为便宜的建筑涂料。这种建筑涂料通常会使用劣质原料和溶剂进行加工，从而产生较为严重地危害人体健康的物质。此外，随着我国建筑市场规模不断扩大及人们环保意识日益增强，人们对于建筑涂料中有毒有害物质检测方法的研究也越来越重视。

（一）建筑涂料中有毒有害物质分类

1. 苯

苯是一种较为常见的有毒有害物质，主要来自涂料中所使用的溶剂，如二甲苯、甲醇等。苯系物是一种极难挥发的物质，其毒性较大。长期吸入苯会对人体造成严重的伤害，主要表现为破坏人体神经系统，导致头晕、呕吐以及皮肤和黏膜有过敏反应等。具体表现为以下几个方面：一是影响人的睡眠质量，长期处于低浓度苯系物质环境下，人会出现头痛、恶心、呕吐以及胸闷等症状；二是出现免疫功能下降现象，研究表明在长期处于低浓

度苯环境下生活的人群中有 40% 的人会出现不同程度的过敏反应；三是降低人体免疫功能，如果长时间处于低浓度苯环境下生活，人体会产生异常免疫反应，主要表现为白细胞数量减少、淋巴细胞数量降低等；四是导致皮肤瘙痒、干燥以及起皱等现象。由此可见，低浓度苯对人体健康所造成的影响十分严重。

2. 甲醛

甲醛是一种无色、刺激性气体，在常温下是气体，其易溶于水并且在水中的溶解度比较低。建筑涂料中含有大量的甲醛主要来自两个方面：一是原材料中所含有的甲醛；二是施工过程中使用到了过多的甲醛。当涂料生产企业为了追求生产效率而在涂料生产过程中增加了一些如苯胺类抗氧化剂以及其他有机溶剂等物质时，这些物质中所含有的甲醛便会与涂料加工产品当中所含有的甲醛进行结合而生成。当涂料加工产品在施工过程中遇到明火或者高温时，这些物质便会挥发到空气中形成一种可燃气体。当可燃气体进入人体之后会引起人体呼吸系统疾病以及呼吸道疾病等。

3. 挥发性有机化合物

在常压条件下，具有比常温更低的温度，蒸馏点或沸点在 50~250℃ 的溶剂被称作挥发性有机化合物（VOC）。VOC 的组成是烃类、苯系物、有机卤化物等，在日光照射下，VOC 很容易与氮氧化物和硫化物发生光化学反应，生成二次污染，从而导致光化学反应。另外，部分进入大气层的卤代烃还会对臭氧造成损伤，使大量的高能紫外线射入地表，给生态系统带来严重危害。

挥发性有机化合物（VOC）对人体的作用主要包括：对人体感官的刺激，使得人体的视觉、听觉受损，以及感觉干燥，在心理上会出现神经质、应激性、忧郁症和冷淡等，对肠道也会产生刺激，在认知功能上会出现迷失方向、长期和短期的记忆模糊等，在运动上会产生握力不强、颤抖和不和谐等。在这些因素的作用下，还极易经由血液–大脑的障碍，流入血液和神经系统，使得中枢神经系统被压制，从而出现头痛、乏力、昏昏欲睡和不舒适的情况。

（二）有害物质检测方式

1. 苯系物检测方法

在建筑涂料中苯系物的检测方式有许多，不同检测方法在实际应用过程中会根据建筑涂料的种类、使用环境的不同，选择不同的检测方式。如工业涂料、胶黏剂等含有苯的建筑涂料在检测过程中可以使用高效液相色谱法、气体检测管法等，而某些化学试剂中含有苯可以用分光光度法进行检测，也有使用气相色谱法进行检测的方法。

高效液相色谱法：高效液相色谱法是一种常见的检测方法，其在检测建筑涂料中苯系物方面具有较高的效率，但是该方法需要一定的仪器设备。在实际操作过程中，检测人员可以将样品放置在含有苯的溶剂中进行稀释后，使用高效液相色谱仪进行检测。该种方法一般会根据被测样品的特点选择适宜的流动相及相应梯度条件，一般对于低含量的苯系物采用此方法能够得到满意的结果。

2. 甲醛检测方法

甲醛检测方法主要包括气相色谱法以及电化学方法等。

气相色谱法是将具有较强吸收能力的色谱柱置于样品溶液中，以气体作为流动相，从而使样品溶液与色谱柱分离开来。使用的气相色谱柱是热扩散型的，其可使气体以分子状态被色谱柱分离，主要以载气来作为流动相。

电化学检测是利用溶液中的电极反应，其可在溶液中产生电化学信号，通过对其进行采集、处理来实现对物质的定性以及定量分析。电化学方法能够直接将液体样品中的物质进行分析，并实现对其含量的定量分析，操作步骤相对简单，但容易受到外界环境影响而无法进行分析。

3. 挥发性有机化合物检测方法

随着我国科技的快速发展和社会的不断进步，关于挥发性有机物质的研究方法也在持续地衍生，其中以有效液相色谱法、气相色谱法、导入膜质谱法和光离子化气相色谱法等各种方法为主流，而气相色谱–质谱法和气相色谱法被广泛使用。对于有机物，质谱可以定性，但对于一些复杂的有机物，却不能精确地进行定性。由于层析方法可以对有机物进行高效的分离，且以对有机物进行定量分析为主，因此二者的组合可以对有机物进行定性、定量分析。这种由质谱和层析结合而成的分析技术叫作气相色谱–质谱法。

二、化学建材防水涂料检测要点

化学建材防水涂料在建筑工程防水、防渗漏等防水领域发挥着重要作用，防水涂料的选择与使用性能都会影响建筑物的寿命和适用功能。所以为避免使用劣质防水涂料，应严格开展建材防水涂料质量检测，按照检测规范科学把控检测要点，确保检测数据的精准性。本节通过介绍各类防水涂料的基本性能和使用范围，围绕检测指标、性能检测、实验环境和试验制备四方面阐述了化学建材防水涂料的检测要点，以此确保检测结果的准确性和达标率。

（一）化学建材防水涂料的主要类型

化学建材防水涂料的类型众多，根据原料和技术可分为通用型 GS 防水涂料、合成高分子防水涂料、高弹力丙烯酸防水涂料、聚合物改性沥青防水涂料、聚合物水泥防水涂料等。

1. 通用型 GS 防水涂料

通用型 GS 防水涂料主要是由丙烯酸乳液、助剂、特种水泥、级配砂和矿物质粉末按一定比例混合而成的双组分防水材料，材料混合后会形成表面涂层防水，并能接触到材料底部形成结晶体，有效避免水的外渗，起到双重防水效果。GS 防水涂料的柔韧性较强、用途广泛，可应用于厨房、浴室、外墙、屋面等，还可适用于屋顶、地下室等室外场所，具有优越的防水、防潮气、防盐分污染的效果。

2. 合成高分子防水涂料

合成高分子防水涂料的成膜物质为多种高分子聚合材料，为达到优良的高弹性和防水性能，还须添加触变剂、防流挂剂、流平剂、催化剂和增稠剂等。此种材料环保性较高，无毒、无味、无污染，且延展性、耐水性、耐碱性、自我修复能力都较强，并且合成高分子防水涂料在光、热、氧、紫外线等环境下依然能长期保持稳定的防水性能，有效黏结玻璃、陶瓷、塑料、金属和混凝土等不同基质的建筑材料。合成高分子防水涂料能够在 $-20\sim170℃$ 的环境下依然保持良好的防水效果，且涂料能够渗透到材料的孔隙中，具有极强的抗断裂性能，断裂伸长率可达到 600%。

3. 高弹力丙烯酸防水涂料

高弹力丙烯酸防水涂料的核心原料是高档丙烯酸乳液，以及多类助剂、填充剂共同组成的高性能防水涂料，由于所添加的助剂为高分子助剂，所以相较于普通防水涂料，其防水性能、拉伸性和黏结性更强。此种防水材料的环保性能极佳，可直接用于饮用水工程，能够抵抗热胀冷缩，可专门用于潮湿、冷热交替环境下的建筑防水，且在轻微的震或晃动下，防水层也能保持稳定联结。

4. 聚合物改性沥青防水涂料

聚合物改性沥青防水涂料的基本原料为沥青，运用了合成高分子聚合物进行改性，改性后形成了水乳型或溶剂型的防水涂料。沥青基防水涂料改性后，防水涂料的柔韧性、延展性、气密性、抗裂性等方面都得到很大改善。此种防水涂料中橡胶能够形成相互串联的成膜网面，具有高橡胶弹性和低温柔性，并能吸收室内外噪声，是桥梁工程最理想的防水材料。

5. 聚合物水泥防水涂料

聚合物水泥防水涂料主要有高分子聚合物乳液和各类添加助剂组合而成的双组分防水涂料，其中包含了有机聚合物乳液和无机水泥，此种防水涂料所形成的涂膜弹性较高，无机材料的添加也会增强涂料的耐久性，有效抵抗基层的变形，增强与基层的黏结性。聚合物水泥防水涂料中的有机聚合物的成膜柔性佳、表面张力低，但耐老化性能弱，所以通过添加无机水泥，既能够强化涂料的抗湿性和抗压强度，又能弥补有机材料的耐老化性和自身的柔性。此种材料也能够应对冷暖温度的急剧变化，在-35~45℃的环境下依然保持良好的防水和断裂延伸性能，且涂料可进行染色，具有较好的装饰效果。

（二）化学建材防水涂料的检测要点

1. 明确检测评价指标

化学建材防水涂料检测前须根据国家检测标准和建筑施工需求明确检测评价指标，在检测指标的指引和要求下才能精准地把控防水涂料的基本性能是否完全达标。检测评价指标既要包括对防水涂料耐水性、耐久性的要求，还须检测产品的碳足迹、单位产品耗能、水消耗量和产生的废水排放，所以须根据防水涂料的资源属性、能源属性、环境属性以及品质属性四大方面量化指标要求，本节以水性防水涂料和高固含量型防水涂料为例列举检测评价指标。

2. 防水涂料基本性能检测要点

（1）拉伸性能检测

在防水涂料拉伸性能检测中，样品的裁剪、夹具的松紧和隔离层的放置都会影响检测数据的精准性。因此在防水涂料的裁剪中，应确保裁剪区域的平整度，且不能存在任何缺口，还须合理控制夹具的松紧度，可选用缠绕式夹具增大涂料与夹具之间的摩擦力，避免产生不正常的检测数值，并在检测时去除提前放置的隔离层，防止隔离层造成检测数值不准确。

（2）断裂延伸率检测

将防水涂料均匀涂抹在已打蜡的玻璃板上，将成膜厚度控制在1.2~1.5mm，放置7天后放于1%的碱水中浸泡7天，并在50℃左右的烘箱中烘24h，涂料取出后做哑铃形拉伸实验，若拉伸保持率始终都能达到80%，则代表合格。

（3）低温柔性检测

低温柔性主要体现在防水涂料的断裂、裂纹等情况，低温柔性检测需要在低温环境下进行，检测温度是影响低温柔性检测准确性的主要因素，并且不同检测标准所规定的温度条件和湿度条件也存在差异。在防水涂料低温柔性的检测中，需要借助玻璃板，在玻璃板上打蜡，将涂料多次涂刷在玻璃板上，成膜厚度应控制在1.2~1.5mm，成膜干透后须在检测标准规定温度下的室内放置7天，并将其剪成长1.2~1.5cm、宽2cm的条形，再放置在-25℃环境下30min，用半径为0.5cm的圆棒在条形涂料正反缠绕，若无断裂和裂纹现象则代表合格。

（4）不透水性检测

防水涂料的不透水性检测需要运用检测仪器，将涂料以1.5mm的厚度涂在玻璃板上，静放 7 天后放入 50℃左右的烘箱内烘 24h，取出后再静放 3h，对其进行不透水实验，若 0.3MPa 的不透水性能够保持 30min，并未存在透水渗水情况，则代表合格。如果在缺乏玻璃板、烘箱和充足检测时间的情况下，可采用目测法检测涂料的不透水性，需将涂料分 4 ~6 次涂到无纺布上，24h 后涂料基本干透，将其做成纸盒子形状吊空，在盒中加入 1% 碱水。若经过 24h 后未存在渗水情况，则为合格。

3. 防水涂料检测实验环境控制要点

防水涂料检测过程中，须把控好实验环境的温度、湿度以及实验仪器的无污染，确保涂料成膜质量符合检测标准。比如在聚合物水泥防水涂料或聚氨酯防水涂料检测时，若实验环境湿度低、温度高，则会导致涂料内部水分快速蒸发，涂料的成膜厚度会难以应对后续的性能实验。并且在单组分聚氨酯防水涂料或类似原料防水涂料检测中，其成膜主要依靠空气中的水分，所以应合理控制实验环境的湿度，避免因空气过于干燥而使涂料成膜过薄过脆。并且，在实验环境温度稍高或过高的情况下，还会使防水涂料中的聚氨类化合物产生催化反应，会生成大量二氧化碳，不利于涂料的正常成膜。此外，实验环境的室温条件还会影响涂料的成形结构，若温度较高，所干透的涂料结构会极其松散，从而难以承受性能实验的拉伸和延展。因此，防水涂料的检测实验须优化实验环境，根据相关检测标准规定的环境温度和相对湿度进行试验，以此获取高质量的涂膜和高准确性的检测结果。

4. 防水涂料检测试样制备工作要点

任何一种防水涂料检测都需要进行取样，并在符合检测标准的实验环境下进行试样配比与混合。比如在聚合物水泥防水涂料的检测试样过程中，按照检测配比要求将液体试样与固体试样进行混合，运用机械式搅拌器械搅拌 5min 后静放 2min，最大限度消除气泡。在液体涂料搅拌过程中，可适量加入粉料，直至搅拌容器中不再有团料，就可停止搅拌。若团料难以搅拌充分，则需要使用平头玻璃棒将其碾碎，再继续搅拌作业，直至搅拌均匀。在聚合物水泥防水涂料的搅拌过程中，严禁使用人工搅拌方式，主要由于人工搅拌存在人为不可控因素，难以有效将团料均匀搅拌，所形成的细小团料就会影响后续的性能实验，从而无法获取准确的检测数值。

在防水涂料的试样成膜干透前，也需要精准把控试样涂刷的次数。比如在聚合物水泥防水涂料的试样涂刷过程中，若涂刷次数过少，则最终的成膜厚度会难以达标，厚度过薄会使检测结果超出正常范围内，断裂延伸率和拉伸性能无法达标；若涂刷规定的次数，则会形成较为理想的成膜密实度，且不会出现气泡空洞和颗粒，是涂料规范检测的重要因素。

三、色谱分析技术在涂料检测中的应用

在涂料中应用现代色谱分析技术，能够有效提高生产检测的效率和质量，并对样品进行

快速分离处理。在分析过程中可以通过各种技术来进行定性和定量分析，有效降低检测成本，提高检测效率。在实际应用过程中需要对样品溶液当中的成分进行进一步分离以及对样品溶液当中不同组分进行定性分析，还需要利用各种技术及仪器来完成这些工作。在实际应用过程中需要先了解样品溶液当中的成分，之后才能够选择合适的色谱柱来实现分析。

（一）现代色谱分析技术应用在材料检测中的先进性

1. 有效降低检测成本

在使用色谱分析技术进行检测的过程中，由于可以同时将多种样品的组分进行分析，并且其灵敏度较高，因此，在检测过程中所消耗的时间也相对较少，在对于材料检测的过程中，可以有效提高检测效率以及检测质量。

应用色谱技术进行材料检测，可以对试样进行提取并进行预处理，其方式相对比较简单，同时可以节省样品的数量，在对于组分含量较高的材料进行检测过程中所消耗的成本较少。

2. 提高检测效率

在现阶段，现代色谱技术的应用越来越广泛，我国相关人员在利用该项技术进行材料检测时，可以通过其具备的特点，对其进行合理利用，在利用色谱技术来完成检测时，相关人员要遵循一定的原则来进行，这样才能够最大限度地提高检测效率。除此之外，在进行检测时还需要考虑到一些问题，例如在对涂料进行检测时，要先对涂料产品进行检查，当相关人员发现其中存在较多问题时要及时向厂家进行反映并协商解决方案，这样才能使检测工作顺利完成。

3. 提高检测精度

在涂料检测中，采用现代色谱技术不仅能够提高检测效率，还可以提高检测精度。将现代色谱技术应用在涂料当中，可以通过对不同状态下的涂料进行分析，确定各个状态下的组分情况，这样就能够对整个涂料体系进行分析，并且获得较为全面的信息。

（二）现代色谱分析技术的特征

在实际操作中可以将多种材料进行分离提纯，并且能够实现高纯度分析。根据实际生产检测当中样品量及性质等不同要求选择不同分析技术可以有效满足生产检测需求以及工作要求，同时该技术还可以有效实现自动化操作控制。

（三）现代色谱分析技术在涂料中的应用

1. 气相色谱检测技术

气相色谱检测技术是以气体为流动相，采用冲洗法的柱色谱技术来对多组分混合物的分离、分析的技术。由于样品在气相中传递速度快，因此样品组分在流动相和固定相之间可以瞬间地达到平衡。气相色谱的流动相为惰性气体，气-固色谱法中以表面积大且具有一定活性的吸附剂作为固定相。当多组分的混合样品进入色谱柱后，由于吸附剂对每个组分的吸附力不同，经过一定时间后，各组分在色谱柱中的运行速度也就不同。吸附力弱的组分容易被解吸下来，最先离开色谱柱进入检测器，而吸附力最强的组分最不容易被解吸下来，因此最后离开色谱柱。如此，各组分得以在色谱柱中彼此分离，顺序进入检测器中被检测、记录下来。

2. 液相色谱检测技术

目前，涂料生产企业通常采用液相色谱检测技术对涂料中的有害物质进行检测。液相色谱检测技术可分为固定相内流动和固相流动。其中固定相内流动技术主要包括反相色谱、反相扩散和反相连续流动等，而固相流动技术主要包括连续逆流梯度洗脱、固定液中的极性物质流动等。为了进一步提高液相色谱仪的分析性能，还可以结合高效液相色谱法快速准确地检测涂料中的有害物质。

高效液相色谱法主要是指在一种液体中将两种以上的不同组分分离。目前，大多数高效液相色谱方法都是采用流动相梯度进样。在实际操作过程中还应适当控制流动相中溶剂浓度和流速以及进样量并合理控制分配系数。例如，在使用大容量容器进行涂料分析时要特别注意其体积变化情况。此外，还应结合不同种类的涂料样品进行分析研究。利用高效液相色谱法对涂料质量进行分析是一项比较复杂的工作，在实际工作中须注意其技术规范和标准体系的建立、对涂料质量控制指标研究和分析及检测结果分析等工作。最后要明确高效液相色谱法测定对象、测定方法、数据处理与计算等标准操作规程，进而更好地指导人们正确使用此项技术并发挥其作用。

四、涂料性能检测自动化与智能化

对涂料行业的检测人员或检测机构而言，涂料产品性能检测是一项复杂、烦琐的工作。涂料性能的评估不仅要检测其在未成膜状态下（液态或粉末态）的原始性能，还须按特定工艺制备涂层并待其完全固化成膜后再进行涂层的相关性能检验。整个检测过程耗费时长、操作烦琐，而且对相关检测人员的技能水平要求比较高，尤其对一些主观性非常强的结果判定项目，往往需要经验丰富的检测人员。不同涂料实验室或检测机构之间的数据可比性较差，是目前行业普遍存在的一个问题。

涂料检测领域也属于劳动密集型，因为涂料的性能评估往往涉及多个项目，并且各项目之间往往缺乏关联性。对一个涂料样品进行完整的性能评估往往需要比较长的时间，效率低下，尤其对于每天需要测试上百个样品的大型实验室或质检机构而言，此时更希望有一种能快速、准确，或者流水线式的自动检测系统。理想的自动检测系统是检测人员只需要把涂料样品放入此系统中并设置一些相关参数或要求，系统将自动将样品混合均匀、制备均匀的涂层、养护涂层，随后按对应的标准要求，逐步检测涂层的每一项性能，最后整理出所有需要的实验数据。以上整个检测过程完全通过自动化来完成。

实施涂料性能检测的自动化或智能化，无非是解决目前行业普遍存在的两个问题：①减少或去除人为因素对实验结果的影响，提高实验结果的可靠性（重现性和可比性高）；②提高检测效率。

目前行业的实际情况是检测结果的可靠性和检测效率往往不可兼得，大多数时候一个高可靠性数据的获得是建立在大量细致且严格按标准操作的工作基础上，这就意味着要消耗更多的人工和时间，即提高了检测结果的可靠性，检测效率会降低；而提高了检测效率，检测结果的可靠性就会下降。比如使用自动细度测量仪检测涂料样品，可以减少测量时的人为误差（包括光源类型、读数时间、读数角度、刮涂角度、刮涂速度等），提高测量的准确性，但由于存在装卸刮刀、调试机器等步骤，致使整个细度的检测效率至少下降80%。

不同实验室对开展检测工作的目的或许稍有差别，如质检机构可能更注重检测数据的可靠性，这时他们宁愿牺牲检测效率；而涂料的研发工程师却更希望提高检测效率，因为他们每天都要开发大量的配方并筛选出最佳产品去快速满足市场的需求。但无论基于何种目的的检测，确保数据准确可靠无疑是最基本的要求。

数据准确可靠主要指该数据的重现性和可比性高。对涂料性能检测而言，一个可靠结果的获得并不困难，概而言之，它与底材的选用、样品的制备与养护、检验仪器、实验人员及实验环境等因素相关。如果不考虑检测标准或实验方法本身的原因（重现性限和可比性限很差），则检验仪器和人为因素成为检验人员最关注的两个因素。

当涉及检验仪器的精度已经达到目前最优技术时，去除人为因素对试验结果的影响就成为提高结果可靠性的最有效的手段。去除人为因素包含两个方面：一是实验过程（包括取样、制备样品、样品的测试等）不需要人工参与；二是测试结果或数据的识别、处理、分析及最终结果的判定也由机器来完成。

目前，市面上已经有部分厂家推出了涂料检测的自动化或智能化设备，但到底是否具备了自动化或智能化的功能和特征呢？

自动化是指机器设备、系统或过程（生产、管理过程）在没有人或较少人的直接参与下，按照人的要求，经过自动检测、信息处理、分析判断、控制反馈，实现预期目标的过程。

而智能化是指某设备或系统在计算机网络、大数据、物联网和人工智能等技术的支持下，所具有的能满足人的各种需求的属性。比如无人驾驶汽车就是一种智能化的事物，它将传感器物联网、移动互联网、大数据分析等技术融为一体，从而主动地满足人的出行需求，不像传统的汽车，需要被动的人为操作驾驶。

按照上述定义，如果要实施涂料检测的智能化，即所用的设备或系统要能满足检验人员的各种需求。相对传统的检测模式，智能化检测应是建立在数据化的基础上检测手段的全面升华，它意味着通过智能技术的应用，系统具备类似于人类的感知能力、记忆和思维能力、学习能力、自适应能力和行为决策能力。同时，它也必须以检验人员的需求为中心，能动地感知外界事物，按照与人类思维模式相近的方式和给定的知识与规则，通过数据的处理和反馈，对随机性的检测动作做出决策并付诸行动。

应该说智能化的核心技术是系统具备自动学习的功能，类似 AI 人工智能，让计算机系统、程序能够模拟出人类智能的思维，能够模仿人类的行为。比如在评估涂层耐冲击性能时，若有一种智能检测系统，那么该系统必须能自动识别涂层被固定重锤以某一高度冲击后是否发生破坏现象；如果发生了，系统则自动降低冲击高度再次冲击；如果没发生，系统则自动增加冲击高度冲击，直至找到引起涂层破坏的临界高度。

有人认为，智能化只能是一个相对概念，能融合当代的主流技术即可称为"智能化"，并且每一个时期对"智能化"的定义都不尽相同。如检测仪器若融合了 USB 接口、蓝牙技术等，那么相对于以前的产品，新一代产品就完全可称为实现了智能化。

也有人认为，不能自动识别或判断试验结果的技术，即使检测过程的自动化程度再高，都不能称为智能检测。比如斯托默黏度计，实验人员需要不断增加砝码，直至转子在待测样品中达到稳定的 200r/min 转速，然后把砝码质量通过特殊的公式，经过人工计算得出样品的 KU 黏度值；而新一代的产品采取了特殊的算法，直接显示出 KU 值，这就是智能化。

评估涂料性能的检测方法大部分都有相应并成熟的国际或国家标准，要实施其自动化和智能化，也先要根据各个检测项目的特点和要求，进行可行性分析。

（一）可用机器来替代人工操作的检测项目

现代涂料检测仪器也随着工业自动化技术的提升而进步，很多以前需要人工操作的实验步骤目前都可用机器替代，即自动化。如靠人工操作的划格实验和铅笔硬度实验，现在可以靠电机以均匀的速度和力度来完成划格和铅笔划痕的动作。

这部分涉及的检测项目主要包括三个方面：实验过程主要靠人工完成，如制备涂层、划格实验、铅笔硬度、弯曲实验、杯突实验等；仪器的开机校准及实验数据的传输；不同实验状态之间的循环切换。

1. 实验过程主要靠人工完成的检测项目

有很多检测过程主要依赖人工操作，特别是涂层的制备，往往需要有经验的工程师或技工才能制备厚度误差在正负 2~3pm 的均匀涂层，并且人工制备涂层劳动强度大、对人体伤害大、效率低、人员操作的不稳定性带来质量差和不均匀性，尤其在大面积试板上。因此快速制备均匀一致的涂层是目前许多涂料检测实验室亟须解决的问题，虽然目前有各种自动涂膜机来替代实验人员完成涂层的均匀制备，但对整个涂层制备过程而言，这只是完成了其中的一个环节，因为前期的样品混合、黏度调整、试板的前处理、试板的固定、涂膜后涂层的干燥与养护、涂布工具的清洗等，仍然耗费了很多时间。

理想的涂层制备系统应该是一个能依次自动完成所有工序的自动化系统，操作者只须将涂料样品放入系统中，输入一些关键指令，如需要的涂层厚度、干燥条件及时间等，系统将自动进行样品混合、黏度调节、试板的前处理及固定、制备涂层、干燥养护、清洗工具，最后得到的是可以直接对涂层性能进行测试的标准试板。

2. 包含仪器自动校标或数据处理的检测项目

用于测试涂层物理性能的大部分电子仪器，工作前都需要进行调零或者对标准物质进行校正，如光泽度仪、色差仪、测厚仪等。以前这一步骤需要人工来完成，现在通过程序设计，可以让仪器在开机的时候自动完成调零和校标，这也是"自动化"；仪器测量后的数据处理，通过现代技术手段，如蓝牙无线传输等，可以完成自动保存、统计及远程传输，这种技术的进步可以称为"智能化"。

（二）通过计算机视觉技术来判定实验结果

涂料很多性能的测试最终都需要对出现的实验现象进行一个结果或等级的评估，目前大部分涂料实验室是靠检测人员的肉眼判断，这样人的主观因素必然会对实验结果带来一定的影响。通过先进的视觉技术来判断无疑是最好的解决方案。比如划格实验，评估切割后的涂层脱落面积占整个涂层面积的比例，单凭肉眼很难精确算出，但计算机视觉技术可以非常快速准确地得到这个数值。

计算机视觉技术是一门涉及人工智能、神经生物学、心理物理学、计算机科学、图像处理、模式识别等诸多领域的交叉学科，具有速度快、信息量大、功能多等优势，同时也被认为是目前最有潜力也是最具有挑战性的技术之一。该技术通过计算机来模拟人的视觉功能，利用高分辨率相机捕捉图像，同时通过图像处理软件或其他技术分析图像，提取数据，计算测量。计算机视觉技术最大的优点是因为替代了传统的人工肉眼评价和人工计数，从而让测试数据客观、准确且重现性好，可应用在包括细度测量、划格评级、冲击评级、铅笔硬度评级、划痕硬度评级及涂层老化现象评级等方面。

涂料细度测量是最有可能实现的项目之一，按目前的检验方法，该项目要求操作者在一固定观测角度范围之内快速判读出细度颗粒的分布，这对不少检测工程师来说都是一项挑战，尤其是在使用量程 25pm 以下的刮板细度计时，需要经验非常丰富的人员才能得到可靠的数据。

即使采用了计算机视觉技术来获得细度检测结果，但其是否与传统的人工观测方法所得到的结果一致或存在某种相关性，仍是值得研究的问题，因为相应的国际或国家标准并未提到借助机器来判断实验结果。这点类似涂料的调色，虽然有各种先进的调色系统和测色仪来调色，但最终还是要有经验的调色工程师做最后的结论，此时人的主观因素还是起到决定性的作用。

计算机视觉技术将提供非常高效、准确的结果评估，标准里面涉及对涂层起泡、开裂、锈点（斑）、长霉、斑点、剥落的评定时，不仅要评定这些缺陷的大小，还需要评定数量等级（或者受到破坏的区域占比），通过人工肉眼来判断，有着比较大的主观性，但借助计算机视觉技术可以最大限度地减少不同检测人员之间的差异。

（三）操作自动化+计算机视觉技术来判定实验结果

将操作自动化和计算机视觉技术结合起来能够最大限度地排除人为因素对实验结果的影响，当然前提是在不考虑检测工作效率的情况下。如涂料细度的测量，先是用自动细度刮板仪将样品用刮刀按统一的速度、力度及角度刮好，然后放入计算机视觉系统中立即评估实验结果。

如果检测实验室本身的样品量少，对实验结果的准确度要求也不是很高，那这种检测模式设计并不具备太多的实用性。

（四）连续性测试

连续测试时自动采集或记录整个实验过程中各时间点的样板表面的状态变化，直至达到标准所规定的实验终点，操作者可在实验结束后查看任一时间点的样板状态。这部分可包括涂层的耐洗刷、干燥时间、耐水性、耐化学试剂、耐盐雾、耐人工老化、杯突等性能测试项目。

在很多连续性测试或者极限测试中，需要报告涂层出现明显破坏时的临界点，可能是时间，亦可能是某些指标。这往往需要测试人员一直在仪器旁观察，对于那些耗时比较长的实验，这显然不是最佳方案。另外还有一些测试，如盐雾、人工加速老化往往需要周期性地取出试板进行某些性能（如光泽）的评估，然后继续投入实验箱中测试，直至达到总的实验时间。盐雾测试中也有明确规定，任一中途检查样板的时间不得大于 30min，因为即使试板没放在盐雾实验箱内，腐蚀依然在持续进行。故如果能有摄像系统按设定时间定时拍摄实验箱内的样板，或者装有需要控制某项性能的测试设备（如测试颜色变化的色差仪和测试光泽变化的光泽度仪），并且可设计每隔多长时间进行一次相关的数据采集。这样，实验人员就无须再中途取出试板检查了，不仅提高了工作效率，而且大大降低了实验样板人为中断对测试结果所带来影响的风险。

理论上实现并不困难，但最大的技术障碍在于这些测试设备的传感器如何能耐受环境测试设备的腐蚀老化。

（五）极限性测试

检测系统通过计算机视觉技术，自动判断样品是否达到标准所规定的实验终点（适用于以极限性的测试，以最大限度来报告试验结果的测试、等级实验），并自动增加或减少某实验参数。这部分的项目包括冲击实验、弯曲实验、铅笔硬度等。

这些性能评估的一个共有特性就是不断增加破坏因子（或能量），直至找到引起涂料发生破损的临界点。目前的操作就是实验人员先用一个比较小的破坏因素去尝试，如果涂层未发生破坏，则逐渐增加破坏因素（如冲击高度、轴棒直径或更硬的铅笔），这往往需要多次尝试，才能最终确定临界点。

这部分完全可以考虑引进智能检测系统，如果系统通过计算机视觉技术和预先设定的判断依据判定待测试涂层未发生破坏，则系统自动采用更强烈的破坏因素在试板另一位置再次进行实验，直至找到涂层破坏的临界点。

这样的检测系统无疑是完美的，具备了一定的类似 AI 的功能，可以称之为"智能检测系统"。

（六）涂料智能化检测系统的发展

工业自动化、机器人应用及计算机视觉技术是未来推动涂料性能检测自动化和智能化的三个关键因素，尤其是机器人或机械手的技术日趋成熟，必将在涂料检测领域有很大的应用空间，并将解决涂层的自动制备，样品的自动装夹、各种不同实验条件的自动切换，各种机械性能测试后的视觉评价等行业痛点。

标准化主管部门应加强或引导行业进行自动化检测技术与人工检测的相关性实验的基

础积累，并加快、加大自动化和智能化检测方法及仪器设备的标准化进程，逐步纳入行业的标准化体系中。

自动检测工作站和流水线全自动检测系统是目前经常被提到的两个相关概念。目前已经有国际知名原材料企业开发并应用最新的智能系统来解决研发的日常工作。在整个涂料的研发过程中，与其说智能检测系统是用于品质控制，倒不如说其是研发系统的一个重要验证环节，即 AI 自动配方系统根据各组分的添加量，同时配出近百个配方，然后在自动检测系统中自动检测相关性能，并通过电脑分析、矩阵运算等，成功筛选出满足性能要求的最低成本的配方。

当然，涂料性能检测的自动化和智能化离不开互联网、物联网等其他技术，通过利用互联网、物联网的开放、易交互、实时、融合、准确、科学等特性，完全可能设计出集成融合了物联网、机器视觉、大数据分析、ERP（Enterprise Resource Planning Administration，集成化管理信息系统）技术等，且与研发和生产环节多层次立体交叉的涂料智能化检测检录系统；可以高效可靠地实现自动化样品制备、多项目自动化检测和交互、检测过程自动数据存储、自动结果分析、智能配方筛选、生产批量检测反馈等，实现真正意义上的智能化检测系统。而不是个别厂商宣传的仅仅是单台仪器增加了通信功能或者数据统计功能就叫智能化系统。从这个角度来看，时代赋予涂料检测仪器制造商在自动化和智能化检测系统方面广阔的想象和发展空间，值得他们持续努力、不断融合和完善。

总之，涂料性能检测系统的自动化和智能化是这个时代的需求，也是使命，对于实验室提高工作效率、控制检验风险、降低检验及管理成本，推动涂料行业的快速、高效发展有着十分重要的意义。

第四章 胶黏剂分析与检测

第一节 建筑胶黏剂概述

一、概述

能够把两个或两个以上固体材料的表面通过界面作用（化学力或物理力）连接在一起的物质，统称为胶黏剂，也称为黏接剂或黏合剂，简称为胶。通过胶黏剂的这种黏接力使固体材料表面连接的方法称为黏接、黏合或胶接，被黏接的固体材料称为被黏物。与常用的焊接、铆接、螺栓连接等传统的连接方法相比，采用黏接技术所制备的结构件不仅具有成本低、重量轻、外形美观等优点，而且其应力传递更为均匀，密封性和防腐性均可得到显著改善。此外，黏接设备及工艺简单、操作方便易行、生产效率高。

按照化学结构及性能分类，胶黏剂可分为有机和无机两大类，以有机高分子胶黏剂为主，占胶黏剂总量的90%以上。而有机高分子胶黏剂按照来源分类，又可以分为天然胶黏剂和合成胶黏剂。前者来源于自然界中，如动物的皮、骨和血，可分别制成皮胶、骨胶和血朊胶；而植物淀粉、蛋白质和天然橡胶可分别制成淀粉胶、蛋白胶和橡胶浆。后者是从20世纪初期逐渐发展起来的，如酚醛胶黏剂、聚醋酸乙烯酯胶黏剂、聚氨酯胶黏剂、三聚氧胺胶黏剂、环氧胶黏剂等。无机胶黏剂是从20世纪80年代才发展起来的胶黏剂新品种，其耐热性能优良，常用的有硅酸盐、磷酸盐、氧化铅水泥等。目前，胶黏剂已广泛应用于木材加工、机械、建筑、轻纺、汽车、电子电器、医疗卫生、航空航天等领域，有力地推动了我国及世界的经济建设和社会文明的发展。

二、胶黏剂发展简史

胶黏剂和黏接技术是一门古老而又年轻的学科。中国是人类文明史上最早使用胶黏剂的国家之一，古代人类很早就已掌握了在生产劳动及生活中使用天然胶黏剂进行黏接的技术。早期的《黄帝内经》、魏伯阳的《周易参同契》、葛洪的《抱朴子内外篇》、贾思勰的《齐民要术》等著作中均有胶黏剂制造和使用的记载。此外，从考古发掘及出土的文物中也可以印证，在5 000年前人们就已采用泥土黏接石块来建筑洞穴；4 000年前就会用生漆作为胶黏剂和涂料来制造器具，其典型代表为1986年从四川广汉三星堆祭祀坑发掘的夏商时期青铜人头像的金面罩，即是人类用枣红色的大漆调配石灰黏接而成的；3000年前的周朝，人类已开始用动物胶密封木船的嵌缝；2 000多年前的秦朝，人们用石灰和糯米浆作为砂浆来黏接万里长城的基石，现在万里长城已成为中华民族伟大文明的象征之一；公元前200年的东汉时期，人类发现用糯米糨糊密封棺木，并配以防腐剂对尸体进行处理，可防止尸体腐烂，其有力证据为从湖南汉墓马王堆棺木中出土的古尸肌肉及关节，虽历经2 000余年，却仍然富有弹性；1 000多年前，人们用骨胶制造弓、墨和工艺品等；至20世纪40年代，人们仍然采用血胶来黏合纸张、密封棺木等。除了华夏大地，在3 300年前的底比斯石刻上就有描述木板的黏接情况以及用来盛胶的罐子和涂胶的刷子；古埃及人掌握了使用阿拉伯树胶、蛋清、动物胶、松香等进行黏接的技术；公元前9世纪，古罗马人已使用松木焦油和蜂蜡密封船缝，以鱼、奶酪、鹿角等制成胶黏剂用于黏接木制品。总之，古代人类在胶黏剂制备及黏接技术方面积累了大量的实践经验。

在20世纪之前，除了在100多年前人类使用了天然橡胶胶黏剂和火棉胶黏剂外，胶黏剂技术在整体上还停留在比较古老的状态。进入20世纪以后，随着高分子科学的快速发展，涌现出了许多有机高分子胶黏剂的新品种，使得黏接技术获得了新的生命。在20世纪初，人们不仅能够使用酚醛树脂生产出胶合板，而且还相继合成出以脲醛树脂、卤代弹性体、聚氨酯、聚醋酸乙烯酯等为主体材料的新型胶黏剂，基本上奠定了有机高分子胶黏剂的基础。橡胶型胶黏剂最初是以天然橡胶胶浆为主体材料制备的，自从20世纪30年代成功开发出氯丁橡胶和其他合成橡胶后，橡胶型胶黏剂也获得了较大的发展。

20世纪40年代，酚醛-氯丁、酚醛-缩醛、酚醛-丁腈等胶黏剂相继成功地应用于航空工业，使飞机的飞行速度和高空性能得到了较大幅度的提高；20世纪50年代初期出现了环氧树脂，俗称"万能胶"，可广泛应用于各个行业；20世纪70年代中期研制成功的第二代丙烯酸酯胶黏剂，使黏接技术的发展达到了高潮。目前，胶黏剂及其黏接技术已经渗透到国民经济中的各个领域，包括国防、交通、建筑、轻纺、电子电器、机械、医疗卫生、航空航天等行业。至于人们在日常生活中所用到的胶黏剂更是不胜枚举，如各种木器家具、装饰品、乐器、运动器械、书籍、文具、雨具等，均须用胶黏剂来黏接和修补。

三、黏接技术的特点

与铆接、焊接、螺栓连接等传统的连接方法相比，采用胶黏剂进行黏接有着自身独特的优点，是其他方法所无法代替的，主要表现在以下几个方面：①黏接范围广泛。可用于金属之间或非金属之间的黏接，也可用于金属与非金属之间的黏接。对于被黏材料的形状没有严格的限制，可用于薄膜、纤维、小颗粒以及具有复杂形状的材料之间的黏接。②提高黏接接头的疲劳寿命。由于胶黏剂是均匀分布在黏接面上的，无螺孔或焊缝，因此不会形成应力集中，将明显减慢疲劳裂纹在黏接接头中的扩展速度，此优点在飞机制造业中获得了广泛的应用。③能够最大限度地保持被黏材料的强度。由于黏接接头中不会出现铆接或螺栓连接所产生的孔洞，因此不会减小被黏材料的有效横截面积。④有效地减轻了结构件的质量。由于不用铆钉和螺栓，极大地减轻了接头质量。据报道，某种型号的飞机在采用黏接技术后，其质量减轻15%，成本下降25%~30%。而一架重型轰炸机采用黏接代替铆接后，质量更是减轻了34%。⑤各向异性材料的强度与尺寸稳定性能够通过交叉黏接而提高。例如，自身非均一性和水敏性的木材可以通过黏接而转变成耐翘曲和耐水的胶合板。⑥施工温度低。在焊接工艺中，构件需要承受很高的温度，而黏接在常温下即可进行，能够避免产生热应力、热裂纹等缺陷。⑦生产工艺简单，生产效率高，生产成本低。在连接复杂的构件时，铆接或焊接通常需要多道工序，并且焊接产生的高温变形需要校正和精加工。而采用黏接可以在几分钟甚至数秒内就将其牢固地连接为一体，一次完成，无需专门设备，有效地节省了人力和物力。⑧密封性能好。可以减少密封结构或采用其他密封措施，有效提高产品结构内部器件的耐介质性能。⑨在电容器、印刷电路及灌装电阻器中，胶合线能够起到电绝缘作用。

尽管如此，胶黏剂及其黏接技术也存在一些不足之处，主要有以下几点：①90%以上的胶黏剂是有机高分子胶黏剂，其黏接强度较低，与金属材料相比还有较大差距。此外，它们的使用温度也较低，一般在-50~150℃之间，只有耐高温胶黏剂才可长期在250℃的环境中工作，或者短期在350~400℃的环境中工作。②黏接接头的强度所受到的影响因素较多，对材料、工艺条件和环境应力极为敏感。接头性能的重复性差，使用寿命相对较短。③某些种类胶黏剂的黏接过程较为复杂。在黏接前，需要细致地对其进行表面处理和清洁，黏接过程需要加温和加压固化，夹具和设备较为复杂，因而大型和复杂构件的黏接受到限制。④热固性胶黏剂的剥离力较低，热塑性胶黏剂在受力情况下有蠕变倾向。⑤多数胶黏剂的导热和导电性能较差，某些种类的有机高分子胶黏剂易燃、有毒，在冷热、高温、高湿、生化、日光、化学等外界作用下会逐渐发生老化。

第二节　胶黏剂分类

一、胶黏剂的组成

要达到牢固黏接的目的，要求胶黏剂必须具备三个基本条件：①呈容易流动的液态（或在形成黏接时呈现此状态）；②能够有效润湿被黏接物的表面；③黏接过程中胶黏剂层能够形成固化。

通常情况下，单一组分的胶黏剂在多数场合下难以满足使用要求，而需要将多个组分配制在一起，并通过物理或者化学改性，制备出适合黏接要求的胶黏剂。这些组分按照其在胶黏剂中所起作用的不同，一般可分为主体材料和辅助材料两类。

（一）主体材料

主体材料是胶黏剂体系中的主要组分，也称为基体材料、基料或黏接料，要求对被黏接物具有良好的黏附性和润湿性，在胶黏剂中起黏接作用并赋予胶层一定的机械强度。这类材料主要包括热固性树脂、热塑性树脂等合成树脂，氯丁橡胶、丁腈橡胶、丁基橡胶、聚硫橡胶等合成橡胶，淀粉、蛋白质、天然橡胶等天然高分子以及硅酸盐、磷酸盐等无机化合物。此外，也可以按照一定的比例将合成树脂与合成橡胶配合使用，有效改善胶黏剂的黏接性能。

（二）辅助材料

辅助材料包括固化剂、增塑剂、增韧剂、填料、溶剂等，能够起到改善胶黏剂的黏接性能、提高流动性、降低成本等作用。

1. 固化剂

固化剂也称交联剂、硫化剂、熟化剂、硬化剂等，其主要作用是使作为基料的线形高分子化合物通过化学交联，成为不溶不熔的立体型网状结构，从而提高胶层的机械强度和耐热性能。例如，在环氧树脂中必须加入胺类、酸酐等固化剂，才能在室温或者高温下固化成为网状胶层。为了促进固化反应，有时还需要加入固化促进剂（也称催化剂），用以加速固化过程或降低固化反应所需的温度。常用的固化剂有二乙烯三胺、三乙烯二胺、二甲胺基丙胺、偏苯二胺、双氰胺等胺类化合物以及酸酐类化合物。固化促进剂主要为咪唑类，如2-甲基咪唑、2-乙基咪唑、2-乙基-4-甲基咪唑、2-异丙基咪唑等。

2. 增塑剂

增塑剂是一种高沸点的液体或者低熔点的固体化合物，能够在一定程度上隔离高分子化合物的活性基团，减小分子之间的相互作用力，从而降低胶黏剂基料的玻璃化转变温度和熔融温度，改善胶层脆性，提高施工流动性。按照作用方式分类，增塑剂可分为内增塑剂和外增塑剂。内增塑剂是可以与胶黏剂基料发生化学反应的物质，如聚硫橡胶、液体丁腈橡胶、不饱和聚酯树脂、聚酰胺树脂等；外增塑剂是不与胶黏剂其他组分发生任何化学反应的物质，如邻苯二甲酸二丁酯、邻苯二甲酸二辛酯等各种酯类化合物。增塑剂的用量一般占基料的20%以内。

为了使增塑剂充分发挥作用，在选择增塑剂时需要其与基料有良好的相容性，以保证胶黏剂具有较好的储存稳定性、耐久性等。增塑剂的沸点和相对分子质量也较为关键，增塑剂的沸点越高，相对分子质量越高，则在使用过程中就越不易发生渗出、迁移、挥发等现象，从而使胶黏剂保持较高的黏接性能，延长使用寿命。

3. 填料

按照化学组成分类，填料可分为无机填料和有机填料。前者主要是矿物质，加入后虽然会使胶黏剂的密度和脆性增加，但耐热性、耐介质性、抗收缩性等得到提高；后者加入后可以改善胶黏剂的脆性，但其耐热性较差。

按照形状分类，填料主要可分为粉末状、纤维状、片状等。粉末状填料有大理石粉、瓷粉、高岭土粉、石墨粉、氧化铝粉、金刚砂粉、玻璃粉、石棉粉、锌粉等；纤维状填料有亚麻、麻、棉纤维、石棉纤维、玻璃纤维、碳纤维等；片状填料有纸、棉花、绸布、亚麻布、麻布、玻璃布等。通常情况下，以粉末状填料的应用最为广泛。

在胶黏剂中加入合适用量的填料，不仅可以降低胶黏剂的成本，而且能够改善胶黏剂的机械性能。例如，加入石英粉、瓷粉等可以防止胶层在固化时收缩，起到降低热膨胀系数的作用，也可以用以改善胶黏剂的硬度和抗压性；石棉绒、玻璃纤维等可以提高胶黏剂的冲击强度；石墨粉、滑石粉等可以提高胶层的耐磨性；氧化铝和钛白粉可以提高胶层的黏接力；铁粉等金属粉末可以提高胶黏剂的导热性；导电炭黑、磁粉等可以用来制备在特殊场合使用的导电或导磁胶黏剂。但是，填料的加入有时也会产生副作用，如黏度变大导致涂布施工困难；透明度下降；容易生成气孔缺陷，形成应力集中物；降低胶层的耐冲击性能和抗拉强度；增加胶层的介电常数和介电损耗正切值。

填料的种类、颗粒大小、形状、用量等均会对胶黏剂的性能产生较大的影响。一般情况下，选择填料需要遵循几个原则：①与胶黏剂中的其他组分不发生化学反应；②易于分散且与基料有良好的相容性；③颗粒大小适宜且均匀；④密度与基料不能相差太大，否则易形成分层；⑤无毒；⑥来源广泛、价格低廉；⑦用量要恰当，不可使胶黏剂的黏度过大。

4. 溶剂

在胶黏剂中使用溶剂作为分散介质，一方面，是为了降低体系的黏度，改善胶层的流平性，便于施工；另一方面，主要是增加胶黏剂的分子活动能力以及对被黏接物的润湿性，提高黏接性能。在选择溶剂时，需要考虑如下三个因素：①极性和溶解度参数。一般情况下，需要选择极性和溶解度参数与胶黏剂基体材料相近的溶剂，这样聚合物基料才能够较好地溶解和分散。②挥发速度。要选择具有适当挥发速度的溶剂或快慢混合的溶剂。这是因为溶剂挥发过快时，会在胶层表面形成黏膜，导致胶层内部的溶剂来不及挥发；而溶剂挥发过慢，则会影响生产效率。③价格、毒性和来源。要尽可能选择毒性小、价格低、来源广泛的溶剂，目前以水为分散介质的胶黏剂得到了越来越广泛的应用。

5. 偶联剂

偶联剂是一类在分子结构上具有两种不同性质官能团的物质，它们分子中的一种官能团可与有机化合物反应；另一种官能团可与无机物表面的吸附水反应，形成牢固的化学键连接。将偶联剂用于胶黏剂中，可以显著改善颜填料在基料中的分散性，提高胶黏剂对无机被黏接物的黏接强度。

使用硅烷偶联剂时，需要注意以下几个方面：①硅烷偶联剂可以单独使用，将其配成质量分数为 0.5%~1.0% 的乙醇溶液，涂在被黏接物表面，待乙醇挥发后，即可涂布胶黏剂，这样偶联剂可改善被黏接物的表面性质，提高黏接性能；②硅烷偶联剂也可以直接加入胶黏剂中使用，这样有利于填料的分散，而且部分偶联剂分子也会依靠扩散作用迁移至界面处，提高黏接强度；③硅烷偶联剂的水解和缩合速率取决于取代基团 X，当 X 为 Cl⁻ 时，水解速率很快，生成的 HCl 成为 Si—OH 基进一步缩合的强催化剂，易于自聚，不利于和被黏接物之间的黏接，而当 X 为烷氧基时，水解速率较为缓和，产物也比较稳定；④要注意 R 中的可反应性官能团与基料的反应性和相容性，当 R 中含氨基时，是具有催化性的，能在酚醛、脲醛、三聚氰胺-甲醛树脂聚合中作为催化剂使用，也可作为环氧树脂和聚氨酯的固化剂，这时偶联剂完全与之反应形成新键，含氨基的硅烷偶联剂几乎能在除聚酯树脂外的所有树脂中起偶联作用；⑤硅烷偶联剂需要密封贮存并保持干燥，以免与空气中的水分反应，进而发生自缩合反应而失效。

二、胶黏剂的分类

胶黏剂的种类繁多，组成各异，目前尚无统一的分类方法。为了便于研究和使用，一般按照胶黏剂的状态、化学组成、固化形式以及黏接件的受力情况等进行分类。

（一）按照状态分类

主要分为液态（溶液、乳液等）、糊状和固态三种。液态胶黏剂种类较多，应用也最为广泛，如纤维素、脲醛树脂、酚醛树脂、硅酸钠等水溶液胶黏剂，硝酸纤维素、醋酸纤维素、丁腈橡胶等溶剂型胶黏剂，聚丙烯酸酯、天然胶乳、聚醋酸乙烯等乳液型胶黏剂，环氧树脂、丙烯酸聚酯、聚氰基丙烯酸酯等无溶剂型胶黏剂。糊状胶黏剂如单组分环氧树脂、聚乙烯醇缩醛改性的环氧树脂胶黏剂。而固态胶黏剂的形状各异，有淀粉、酪素、聚乙烯醇、氧化铜等粉状胶黏剂，鱼胶、松香、热熔胶、虫胶等片状或块状胶黏剂，酚醛-丁腈、环氧-丁腈、环氧-聚酰胺等膜状胶黏剂。固态胶黏剂易于运输和贮存，特别是膜状胶黏剂可减少固化剂的掺混、喷涂、干燥等工序，适用于大面积的黏接，胶层的厚度和均匀程度可控，而且可以防止胶黏剂的流淌。

（二）按照化学组成分类

主要分为无机胶黏剂和有机胶黏剂两大类，而这两者又可细分为很多种类。

1. 无机

硅酸盐：硅酸钠、硅酸盐水泥。磷酸盐：磷酸-氧化铜。硼酸盐：熔接玻璃。硫酸盐：石膏。陶瓷：氧化铝、氧化锆。低熔点金属：锡-铅。

2. 有机

（1）天然胶黏剂

淀粉类：淀粉、糊精。

蛋白质类：大豆蛋白、骨胶、酪素、鱼胶、虫胶。

天然树脂类：松香、木质素、树胶、单宁。

天然橡胶类：天然胶乳。

（2）合成胶黏剂

①树脂型

热塑性：聚醋酸乙烯、聚丙烯酸酯、纤维素、聚氨酯等。

势固性：酚醛树脂、脲醛树脂、环氧树脂、不饱和聚酯、聚酰亚胺等。

②橡胶型

丁苯橡胶、丁腈橡胶、丁基橡胶、热塑性橡胶、氯丁橡胶、有机硅橡胶等。

③复合型

丙烯酸酯聚氨酯、环氧-丙烯酸酯、聚乙烯醇缩醛、酚醛-丁腈橡胶、环氧-聚酰胺等。

3. 按照固化方式分类

主要分为反应型和非反应型两类。反应固化型胶黏剂一般是在催化剂、交联剂的作用或者加热情况下，将多官能团的单体或者线型分子结构的低聚物固化成三维交联的高聚物胶黏剂，如环氧树脂胶黏剂。非反应固化型胶黏剂又分为常温干燥型和热熔型两种。前者如氯丁胶溶液体系、聚丙烯酸酯乳液体系、聚氨酯溶液体系、天然胶乳体系等，它们的胶层均是通过溶剂、水等分散介质的蒸发而形成的；热熔型胶黏剂主要是由热塑性聚合物（如苯乙烯-丁二烯-苯乙烯嵌段共聚物、苯乙烯-异戊二烯-苯乙烯嵌段共聚物等），配合增黏树脂（如松香、石油树脂等）以及增塑剂、抗氧剂等组分在高温熔融配制而成。使用时将热熔胶加热熔融成为流动性的液体，并浸润被黏物表面，冷却后即可固化成为胶层，达到黏接的目的。

4. 按照黏接件的受力情况分类

可分为结构型和非结构型两类。所谓结构型胶黏剂，是指固化后的黏接接头能够承受较高剪切负荷（150kg/cm² 或 14.72MPa 以上）和 T 型剥离负荷（6kg/cm²）并且具有优良的耐热性、耐油性和耐水性的胶黏剂，主要应用于工程结构受力构件的黏接；而非结构型胶黏剂的黏接强度不高，并会随着温度的升高而迅速下降，主要应用于非主要受力部位的黏接。

此外，根据胶黏剂所具有的特殊性能，还有瞬干胶、压敏胶、厌氧胶、点焊胶、应变胶、医用胶、光敏胶、导电胶、导磁胶、水下胶等。

三、热熔胶黏剂

（一）概述

热熔胶黏剂（Hot Melt Adhesives）简称热熔胶，通常是指在室温下呈固态，加热至一定温度即可熔融成为流动性的液体，涂布、润湿被黏接物后，经压合和冷却，可在数秒内完成黏接，属于一种无分散介质的固体胶黏剂。与传统的溶剂型和水性胶黏剂相比，热熔胶黏剂由于具有不含溶剂、无污染、生产工艺简单、无须加热固化、能耗少、贮运方便等优点而备受市场的青睐。我国对热熔胶黏剂的研究和开发始于 20 世纪 70 年代，并保持了一个较快的发展速度，特别是在近几年，我国热熔胶黏剂行业发展尤其迅速，现已成为全球最重要的热熔胶生产和消费国之一。市场上各种不同用途的热熔胶产品有 500 种以上，应用范围在不断扩大，已从卫生制品、标签、制鞋、木材加工、书籍装订等传统领域扩展到高级服装、电子电器、电缆、汽车、太阳能利用等新兴市场，其中汽车内饰用热熔胶的发展速度最快。

（二）热熔胶黏剂的主要特点

热熔胶黏剂的优点十分明显，具体体现在以下几个方面：①固化速度快，有较高的黏接强度和较好的柔韧性，热熔胶能够在几十分之一秒至几秒钟内完成固化黏接，具有加热则熔、冷却则黏的特性，便于生产企业实现连续化、自动化作业，生产效率高，成本较低；②热熔胶的黏接性能较为稳定，不受工作环境从早到晚温度和湿度变化的影响，保证了黏接接头的牢固度，消除了包装机械固有的胶合剥露问题；③热熔胶不含水及其他任何溶剂，其形状可为块状、条状、粒状或薄膜状，易于运输和贮存；④热熔胶在生产和使用过程中不会释放有害有毒的烟雾，不易燃烧和爆炸，不会危害人身安全及破坏环境，安全性高；⑤热熔胶形成的胶层具有良好的耐水性，适用于在潮湿环境中的黏接；⑥热熔胶可反复熔化黏接，特别适用于一些有特殊工艺要求的构件黏接，如文物修复；⑦黏接范围广泛，黏接工艺简单，在黏接的同时也可起到密封作用；⑧光泽和光泽保持性好，屏蔽性优良。

当然，热熔胶黏剂也存在不足之处，主要有以下三点：①耐热性、黏接强度和耐化学药品性有待改善。通过对基体聚合物进行化学改性或者使胶层中的组分发生化学交联，可以提高热熔胶的使用性能。②采用手工涂覆，难以控制胶层厚度以致浪费胶料，且效果不好。专门的熔胶和涂胶设备如热熔枪等价格较高，限制了热熔胶的使用和推广。③热熔胶在黏接有时会受气候和季节的影响。一般地，冬季时胶层的润湿性较差，而夏季时胶层的固化速度降低，易发软，导致其黏接强度下降。

（三）热熔胶黏剂的组成及分类

1. 热熔胶黏剂的组成

热熔胶黏剂一般由热塑性聚合物、增黏树脂、增塑剂、黏度调节剂、抗氧剂、填料等组成。

（1）热塑性聚合物

热塑性聚合物包括热塑性树脂、热塑性弹性体及其改性物，是热熔胶的主体材料。常用的热塑性聚合物有乙烯-醋酸乙烯酯（EVA）、聚酰胺、聚酯、聚氨酯、苯乙烯-丁二烯-苯乙烯嵌段共聚物（SBS）、苯乙烯-异戊二烯-苯乙烯嵌段共聚物（SIS）、聚乙烯醇、聚乙烯、聚氯乙烯、乙烯-丙烯酸乙酯共聚物、乙烯-丙烯酸共聚物等。

热塑性聚合物对热熔胶黏剂的使用性能影响较大，决定着胶黏剂的黏接强度、拉伸强度、柔韧性等性能的优劣以及制备和黏接工艺的难易程度。一般情况下，适当减小聚合物的相对分子质量并增大其相对分子质量分布，可以降低热熔胶的软化点和熔融黏度，促使胶黏剂能够快速熔融和黏接，提高生产效率，但同时有可能使胶黏剂的黏接强度、拉伸强度、热稳定性等下降。因此，应根据实际的使用需求，选择具有合适参数的热塑性聚合物。

（2）增黏树脂

单纯的热塑性聚合物熔融黏度较大，对被黏接物的润湿性和初黏性都比较差。为了降低熔融黏度、改善工艺性能和提高初黏力，一般需要在热熔胶黏剂体系中加入增黏树脂，其相对分子质量在 200~2 000 之间，不仅与热塑性聚合物要有良好的相容性，而且自身也应具有较好的增黏性和热稳定性。常用的增黏树脂有松香及其衍生物、站烯类树脂、石油树脂、酚醛树脂、古马隆树脂等。增黏树脂的用量一般为 30%~70%。

（3）增塑剂

在热熔胶中加入增塑剂，可以降低体系的熔融黏度，加快熔化速度，改善对被黏接物表面的润湿性以及胶层自身的柔韧性和耐寒性。增塑剂的用量一般为 10% 左右，用量过多会降低热熔胶的耐热性、内聚强度和黏接强度。常用的增塑剂有苯二甲酸酯类，如邻苯二甲酸二辛酯、邻苯二甲酸二丁酯等，也可采用环烷油、真空泵油、低相对分子质量的聚丁二烯等。

（4）黏度调节剂

黏度调节剂主要起到降低体系黏度、改善流动性和润湿性等作用。此外，适当用量的黏度调节剂还可以缩短晾置时间、防止胶料结块、减少拉丝现象和降低成本。常用的黏度调节剂主要为石蜡、微晶蜡、地蜡、低分子聚乙烯蜡等蜡类物质，用量一般为 20%~30%。

（5）抗氧剂

热熔胶在高温制备和涂布、使用或贮存过程中，由于受到热、光照、臭氧氧化或金属离子的催化作用，会发生氧化，并逐渐出现变色、发黏、变硬发脆、裂纹等现象，导致黏接性能明显下降，甚至丧失使用价值。为了抑制或延缓上述变化的进程，延长热熔胶的使用寿命，通常需要加入抗氧剂。常用的抗氧剂有 2，6-叔丁基对甲酚（BHT）、4，4-巯基双（6-叔丁基双甲酚）（RC）、硫代二丙酸酯等。通常采用两种或者两种以上的抗氧剂会起到协同作用，能够获得更好的抗老化效果，用量一般为 0.1%~1.5%。

（6）填料

填料可以起到减小胶层收缩率、提高黏接强度和耐热性、控制流动性和渗透性、防止自黏、延长操作时间、降低成本等作用。填料的加入量一般不超过 15%，用量过多会使胶黏剂的黏度过大，导致胶层的黏接力和韧性下降。常用的填料有滑石粉、轻质碳酸钙、沉淀硫酸镁、石英粉、氧化锌、陶土、钛白粉、白炭黑、炭黑、轻质氧化镁、硅微粉等。

2. 热熔胶黏剂的分类

热熔胶黏剂的品种繁多，形态、组成和用途各异。按照热熔胶黏剂的化学组成分类，主要分为乙烯基聚合物类、聚酯类、聚氨酯类、聚酰胺类、聚烯烷类、苯乙烯及其嵌段共聚物类等类型；按照形态分类，可分为块状、粒状、棒状、粉状、网状、薄膜状等类型；

按照用途分类，热熔胶黏剂可用于包装、纺织、制鞋、建筑、木材加工、电子电器、汽车、机械加工、医疗等领域。通常情况下，热熔胶黏剂是按照其化学组成来分类的。

（四）热熔胶黏剂的应用

在世界范围内，热熔胶黏剂的年产量一直呈上升趋势，其增长速度在各类胶黏剂中是最快的。随着科学技术的发展，热熔胶黏剂的品种越来越多样化，使用性能逐步提高，可用于黏接皮革、玻璃、金属、木材、纸张、塑料、橡胶、织物等，应用领域包括建筑、包装、书籍装订、胶合板、汽车、家用电器、医疗卫生、标签、制鞋、无纺布制品等。

1. 建筑工业。在建筑工业中，热熔胶主要用于结构和装饰，例如软木胶合板、层压木板、塑料地板、壁纸等绝缘、隔离、装饰板材和非受力构件的黏接。在建筑中使用热熔胶不仅可以提高建筑质量，增加美观舒适感，而且可以改进施工工艺，提高施工效率。常用的有 EVA 热熔胶和聚氨酯热熔胶。

2. 包装工业。当前，任何商品都离不开包装，其市场空间十分巨大。在纸及纸制品的黏合、纸/塑料和塑料/金属箔的复合、书刊的无线装订、贴体包装、软包装塑料的层合和封口、标签胶和可剥离保护胶带的制造、包装用密封等方面，热熔胶得到了越来越多的应用。常用的有 EVA、聚酯、聚酰胺、聚烯烃、热塑性弹性体等种类。其中，以 EVA 热熔胶的用量最大。

3. 木材加工。在木材加工业中，主要采用热熔胶来制造胶合板、刨花板、纤维板、塑料与人造板复合的装饰板、木制家具及包装物封边等，可改善天然木材的物理机械性能及外观质量，并使刨花、木屑和碎片等木材加工时必然产生的大量下脚料得到综合利用。其中，应用最多的热熔胶品种是 EVA。

4. 制鞋业。热熔胶用于制鞋业已有多年的历史，技术成熟，用量和品种都得到了持续增加。鞋用热熔胶的基本要求是：初黏强度高且持久性好，胶质柔韧性好，耐挠曲、耐热、耐油、耐水及耐化学介质性好。在制鞋工业中，制鞋帮、绷鞋帮、黏大底、制勾心、制作主跟、包头等工序中以及制作鞋用材料过程中都需要用到热熔胶。鞋用热熔胶主要为乙烯-醋酸乙烯酯共聚物、聚酯、聚酰胺、聚氨酯等种类。例如，聚酰胺热熔胶具有优良的柔韧性，非常适用于制鞋棚植如前尖、腰窝及包鞋跟等处的黏接；聚酯热熔胶的耐挠曲性优异，用于黏接皮靴大底，经过 75 000 次的反复挠曲也不会开胶。

5. 医疗卫生。医疗用热熔胶要求具有良好的黏接性能，并易于除去，无残留物，不伤害皮肤或使皮肤过敏等，主要用于伤口的覆盖、探测仪器的固定、药物传输载体、外科拉链与皮肤的黏接等医疗方面。而卫生制品用热熔胶主要包括妇女卫生巾和婴儿纸尿裤用胶两部分，其中前者占了大部分。

6. 纺织品。使用热熔胶的纺织品主要有服装、地毯和织物的植绒等。传统的服装行业多采用手工缝制，不仅费时，而且需要经验技巧。而采用热熔胶黏接锁边、花边和装饰品等，除了能与服装面料等形成永久黏接，使服装耐穿、挺拔和圆润外，还能降低成本，大幅提高工作效率。

7. 汽车工业。通常地，一辆汽车需要使用 4kg 左右的热熔胶，具体使用部位包括座椅、顶衬、发动机罩内板、门内板、车门胶条、内侧屏、地毯、尾灯等。例如，以往汽车座椅的生产都是采用卷边、卡扣及其他机械方法，将座椅与框架固定在一起。而现在则使用热熔胶对其进行黏接，不仅可以减少错位现象的发生，还能够进行半自动化生产，可大幅度降低生产成本。

8. 电子电器。近年来，热熔胶在电子电器中的应用也日趋增多，如应用于电视偏转线圈的黏接和固定、电器导线的捆绑、接头的包覆、通信电缆及吸尘器等有关部件的黏接和密封等。但热熔胶的耐热性和冲击强度等还有待于进一步的改善。目前，在电子电器中应用较多的热熔胶品种是聚酯和聚酰胺类。

四、橡胶胶黏剂

（一）概述

橡胶胶黏剂是以氯丁橡胶、丁腈橡胶、丁基橡胶、硅橡胶、聚硫橡胶、苯乙烯-丁二烯-苯乙烯嵌段共聚物（SBS）等合成橡胶或者天然橡胶为主体材料，配合助剂、溶剂等制备而成的一类胶黏剂，又称弹性体胶黏剂。橡胶胶黏剂具有优良的弹性，耐冲击与振动能力强，特别适合柔性材料或者热膨胀系数相差悬殊的材料之间的黏接，十分有利于在动态条件下的使用。

与橡胶改性的树脂胶黏剂相比，虽然橡胶胶黏剂的黏接强度和耐热性稍差，是非结构型胶黏剂，但是其在胶黏剂行业中仍然占据着十分重要的地位，多用于橡胶与金属、皮革、玻璃、塑料、木材、织物以及橡胶自身之间的黏接，在航空航天、汽车、建筑、机械、轻工等领域中均有着广泛的应用。

（二）氯丁橡胶胶黏剂

氯丁橡胶胶黏剂可室温固化，初黏力大，黏接强度高，综合性能优良，用途极为广泛，能够黏接橡胶、皮革、织物、塑料、木材、纸张、玻璃、陶瓷、混凝土、金属等多种材料，因此也有"万能胶"之称，现已成为橡胶胶黏剂中产量最大、应用最广、黏接性能最佳的重要品种。按照分散介质的不同，氯丁橡胶胶黏剂分为溶剂型和乳液型，目前以溶剂型为主。但是，随着人们对环境保护的重视，欧洲及日本等地区和国家逐渐加强了对水性氯丁橡胶胶黏剂的研发和应用。

1. 氯丁橡胶胶黏剂的主要特点

氯丁橡胶胶黏剂的主要优点：①初黏力大，大部分氯丁橡胶胶黏剂为室温固化接触型，涂胶后经适当晾置，合拢接触后即能瞬时结晶，产生很大的初黏力；②黏接强度高，黏接速度快；③对多种材料都具有很好的黏接性，享有"万能胶""百搭胶"之称；④耐久性好，具有优良的阻燃性、耐光性、抗臭氧性和耐大气老化性；⑤胶层柔韧，弹性好，耐冲击性优良；⑥耐介质性好，有较好的耐油性、耐水性、耐酸碱性、耐溶剂性等；⑦可以配成单组分，使用方便，价格低廉。

氯丁橡胶胶黏剂的主要缺点：①耐热性和耐寒性较差；②溶剂型氯丁橡胶胶黏剂有一定的毒性；③贮存稳定性差，容易发生分层、凝胶及沉淀现象。

2. 氯丁橡胶胶黏剂的组成

通常地，氯丁橡胶胶黏剂由氯丁橡胶、金属氧化物、树脂、防老剂、溶剂、填充剂、交联剂、促进剂等组成，但并不是每一个具体配方都包括上述组分，需要根据实际用途来确定。

（1）氯丁橡胶

氯丁橡胶胶黏剂的主要成分为氯丁橡胶，是以氯丁二烯（即 2-氯-1，3-T 二烯）为主要原料经过乳液聚合得到的聚合物。

在常温下，氯丁橡胶呈白色或淡黄色的片状或块状的韧性固体，黏接性能好，具有较高的拉伸强度和断裂伸长率。此外，其耐候性、耐臭氧老化性、耐热性、耐油性等性能优异。其中，耐候性和耐臭氧老化性能仅次于乙丙橡胶和丁基橡胶；耐热性与丁腈橡胶相当，短期可耐 120~150℃，长期可耐 80~100℃，热分解温度为 500~600℃；耐油性仅次于丁腈橡胶。由于氯丁橡胶中含有氯元素，因此还具有一定的阻燃性。但是，其耐寒性和电绝缘性较差，生胶的贮存稳定性差，易产生"自硫"现象，使得门尼黏度提高、硬度变大。

氯丁橡胶的品种和牌号一般按照以下几种情况划分：①按照相对分子质量调节方式，分为硫黄调节型、非硫黄调节型和混合调节型；②按照产品用途，分为通用型和黏接型；③按照结晶速度和程度，分为快速结晶型、中等结晶型和慢结晶型；④按照门尼黏度高低，分为高门尼型、中门尼型和低门尼型；⑤按照所用防老剂类型，分为污染型和非污染型。

氯丁橡胶胶黏剂的稳定性与氯丁橡胶生胶的相对分子质量及其分布有关。一般地，生胶的相对分子质量过高或过低以及相对分子质量分布宽度均对胶黏剂的稳定性不利。而氯丁橡胶胶黏剂的黏接性能与生胶的结晶性有关，结晶速度越快，胶黏剂的初黏力越大；结晶度越高，黏接强度就越大；结晶温度越高，耐热性越好。

氯丁橡胶也可以与其他橡胶或树脂混合使用，以改善胶黏剂的使用性能。例如，在氯丁橡胶胶黏剂的制备过程中，加入少量的丁腈橡胶可以改善耐油性；加入少量的天然橡胶可以提高胶黏剂的黏度和耐低温性能；加入氯化橡胶可以提高胶黏剂的初黏力，但氯化橡胶容易释放氯化氢，必须同时加入适量的酸吸收剂；加入适量的过氯乙烯和高氯化聚乙烯树脂，可以提高胶黏剂的黏接强度。在配合使用其他橡胶或树脂时，需要注意其与氯丁橡胶的相容性和在溶剂中的溶解度，不能产生分层或沉淀。

（2）金属氧化物

在氯丁橡胶胶黏剂中加入金属氧化物，主要起到四种作用：酸吸收剂、防焦剂、硫化剂和树脂反应剂。随着存放时间或使用时间的延长，氯丁橡胶会释放微量的氯化氢，能够促进聚合物的进一步分解，并会腐蚀金属和天然纤维，加入适量的金属氧化物可以吸收氯化氢以抑制降解反应的继续进行。常用的金属氧化物有氧化镁和氧化锌。其中，氧化镁有多种类型，在胶黏剂中常采用优选轻质煅烧型，除了起到吸收氯丁橡胶老化时缓慢释放出来的氯化氢并延迟焦烧的作用外，还会产生硫化作用。此外，在有反应性树脂参与的情况下，氧化镁还可以与之结合，形成一种络合物，可防止沉淀和分层。随着氧化镁用量的增加，胶黏剂的高温强度提高，但是胶液稳定性下降。氧化锌的加入也能够起到吸收酸的作用，但不能起到硫化作用，而且在贮存过程中氧化锌还易于沉淀在底部，并使胶液变得浑浊。所以，目前氧化锌的使用越来越少，仅当氯丁橡胶胶黏剂在高温黏接时，加入少量的超细活性氧化锌，会起到硫化作用。

（3）增黏树脂

增黏树脂是氯丁橡胶胶黏剂的重要组分，能够提高胶黏剂的内聚强度、黏接性能、耐热性、耐水性和耐老化性能。常用的增黏树脂品种有热反应性烷基酚醛树脂、石油树脂、萜烯酚醛树脂、萜烯树脂、松香改性酚醛树脂、古马隆树脂、松香酯、聚 α-甲基苯乙烯等，其中对叔丁基酚甲醛树脂（2402 树脂）的效果最好。

增黏树脂的用量对氯丁橡胶胶黏剂的黏接性能影响较大。随着增黏树脂用量的增加，胶黏剂的剥离强度先提高，当达到最大值后，又逐渐下降。此外，增黏树脂用量过大，与氯丁橡胶的相容性也会变差，引起体系分层、胶层变脆。一般情况下，对于非金属与金属材料和金属与金属之间的黏接，增黏树脂的用量要多些，为 50~100 份（氯丁橡胶按 100 份计）；而对于非金属材料之间的黏接，增黏树脂的用量则少些，为 30~50 份。

（4）溶剂

根据对氯丁橡胶的溶解能力，可将溶剂分为良溶剂、不良溶剂和非溶剂。良溶剂有苯、甲苯、二甲苯、四氯化碳、二氯甲烷、二氯乙烯等，不良溶剂有环己烷、乙酸乙酯、丁酮等，非溶剂有正己烷、丙酮、正庚烷、溶剂汽油等。单独使用不良溶剂或非溶剂时，较难或不能溶解氯丁橡胶。通常情况下，在制备氯丁橡胶胶黏剂时，采用的都是混合溶剂，按照适当的比例将不良溶剂或非溶剂与良溶剂混合后，具有良好的溶解性，可以满足胶黏剂对黏度、黏接性能、施工工艺、安全性、经济性、毒害性等各项指标的要求。例如，可以选用 3 份甲苯或二甲苯、2.5 份乙酸乙酯和 4.5 份汽油的混合体系作为氯丁橡胶的溶剂。

（5）填充剂

在氯丁橡胶胶黏剂中加入填充剂，其主要目的是提高黏接强度和降低成本。常用的填充剂有半补强炭黑、白炭黑、碳酸钙、超细硅酸铝、超细陶土等。

（6）促进剂

为了促进氯丁橡胶硫化和提高胶黏剂的耐热性，可以加入促进剂，如乙烯基硫脲（NA-22）、二乙基硫脲（DE-TU）、二苯基硫脲（促进剂 C）、二氨基二苯甲烷、N，N′-二糠基硫脲、三甲基硫脲、三丁基硫脲等，用量一般为 0.25~2.0 份。

3. 氯丁橡胶胶黏剂的制备工艺

除了通用型氯丁橡胶胶黏剂外，接枝型氯丁橡胶胶黏剂、混配型氯丁橡胶胶黏剂和氯丁胶乳胶黏剂的研究和应用也较多。现对其制备工艺分述如下。

（1）通用型氯丁橡胶胶黏剂

目前，通用型氯丁橡胶胶黏剂是直接以氯丁橡胶为主体材料，并配合溶剂及其他添加剂制备而成。按照制备工艺的不同，又分为炼胶溶解法、直接溶解法和混合溶解法。

炼胶溶解法是将氯丁橡胶塑炼、混炼、切成胶条，投入装有溶剂的专用设备中，搅拌溶解，配成胶液，再与定量的树脂预反应物混合均匀，即得成品。炼胶后制备的胶黏剂黏度低，流动性和渗透性好，初黏力大，贮存稳定性好。

直接溶解法是将氯丁橡胶直接在溶剂中溶解，再与其他组分混合均匀，即得胶黏剂。这种方法虽然省去了炼胶环节，工艺简单，但是其溶解速度慢，体系黏度高，流动性和渗透性较低，贮存稳定性较差。

混合溶解法是将 30%~50% 或更大比例的氯丁橡胶直接溶解，其余的氯丁橡胶经过炼胶后进行溶解，这种方法综合了上述两种方法的特点。

（2）接枝型氯丁橡胶胶黏剂

随着黏接材料的日趋复杂化和多样化，普通 CR 胶对一些新型高分子合成材料如各种合成革、人造革等黏接性能较差，已不能满足使用要求。目前，较常采用的方法是对 CR 进行接枝改性，一方面，可以破坏 CR 分子链排列的规整性，使其不易结晶，从而防止低温凝胶，增加胶黏剂的耐寒性；另一方面还可以使胶黏剂在较长时间内保持良好的黏接性能，降低活化温度。接枝改性的单体主要有甲基丙烯酸酯类、丙烯酸、丙烯酰胺及高氯聚合物、SBS 等。

（3）混配型氯丁橡胶胶黏剂

混配型氯丁橡胶胶黏剂是溶剂型氯丁橡胶胶黏剂中的一种，所采用的溶剂是混合溶剂，如用汽油、环己烷、丙酮、丁酮、乙酸乙酯等代替一部分苯、甲苯、二甲苯等，在一定程度上降低了毒性。制备工艺：将叔丁基酚醛树脂和混合溶剂配成溶液，然后加入 MgO、ZnO 和催化剂，室温反应 6~24h，滤除液渣；在滤液中加入氯丁橡胶和其他组分的混炼胶，溶解搅拌，即得胶黏剂。

（4）氯丁胶乳胶黏剂

氯丁胶乳胶黏剂占氯丁橡胶胶黏剂总产量的 15% 左右，具有优良的耐燃性、耐氧化性、耐水性、耐油性和耐候性，可直接用于皮革、木材、棉纤维和纸张的黏接，也可以经过适当调配后用于橡胶、合成纤维、塑料等材料的黏接，能部分代替溶剂型氯丁橡胶胶黏剂。

氯丁胶乳胶黏剂由氯丁胶乳、增黏树脂、金属氧化物、防老剂、填充剂、促进剂、增稠剂等组成。氯丁胶乳是最早出现的合成胶乳，在 20 世纪 30 年代就已经开始生产和应用。它是以 2-氯-1，3-丁二烯为原料，经乳液聚合制备出来的。在室温时，氯丁胶乳呈流动性液体；冷却至 10℃ 以下，黏度上升；接近 0℃ 时，呈膏状；0℃ 以下时，氯丁胶乳冻结凝聚，升温后不能恢复到具有流动性的胶乳状态。氯丁胶乳的适宜贮存温度为 8~25℃。为了防止其低温凝结，可加入冻凝稳定剂，如甲醇、乙二醇、乙二醇乙醚、甘油等。

在氯丁胶乳胶黏剂中加入增黏树脂，可以提高其初黏力和持黏力。常用的品种有萜烯树脂、萜烯酚醛树脂、酚醛树脂、石油树脂、古马隆树脂、间苯二酚甲醛树脂等，既可单独使用，也可两种或两种以上的树脂配合使用。加入金属氧化物，可以在中和胶乳时产生盐酸，并起到硫化剂作用，使胶层在室温下缓慢交联，目前主要采用氧化锌。防老剂和促进剂的种类与溶剂型氯丁橡胶胶黏剂使用的相同。加入稳定剂的目的是为了保证各组分在胶乳体系中呈稳定分散的状态，可使用阴离子型、非离子型或两性型稳定剂，用量一般为 1~3 份。

氯丁胶乳胶黏剂的许多组分基本上都不溶于水，无法直接混入氯丁胶乳中。通常地，需要先将不溶组分预制成乳化浆、分散液、浆状液或溶液，然后加入氯丁胶乳中。典型的氯丁胶乳的生产工艺有以下三步：①将 100 份氧化锌、0.6 份拉开粉、6 份 10% 氨性酪素和 94 份软水加入球磨机中，磨 10~12h，制得 50% 的氧化锌分散液；②将 100 份古马隆树脂、3 份羟乙基壬基酚和 3 份二乙醇胺松香酯的混合物加热至 85~90℃待其熔融，再加入 94 份水，混合均匀，冷却至室温，即得粒径为 1~3μm 的乳液；③将高岭土等填料调成浆状，并用水玻璃调 pH 值至 10 左右；④将水性氯丁胶乳加入反应釜中，在搅拌下依次加入已预先进行水分散的乳化剂、树脂、氧化锌和填料，在室温下搅拌使其混合均匀即可。

与天然胶乳胶黏剂相比，氯丁胶乳胶黏剂的耐油性、耐溶剂性、耐臭氧性、耐曲挠龟裂性等性能较好，但其耐寒性和电绝缘性较差、易变色，在高温或长期贮存的过程中，还会释放氯化氢。通常采用苯乙烯（Syrene）或丙烯腈与之共聚。

（三）丁腈橡胶胶黏剂

丁腈橡胶胶黏剂是近年来应用较为广泛的一种非结构型橡胶胶黏剂。该类胶黏剂具有优异的耐油性和耐水性以及良好的黏接性能、耐热性、耐磨性、耐化学介质性、耐老化性等，但其耐寒性、耐臭氧性和电绝缘性较差，初黏性低，硫化时间长，在光和热的作用下容易变色。为了提高黏接性能，通常采用酚醛树脂或环氧树脂对其进行改性，如酚醛-丁腈橡胶胶黏剂。

按照组成和包装方式分类，丁腈橡胶胶黏剂可分为单组分和双组分；按照分散介质分类，可分为溶剂型和乳液型；按照固化方式分类，可分为室温固化型和高温固化型。丁腈橡胶胶黏剂适用于金属、塑料、合成橡胶、木材、织物及皮革等多种材料的黏接，尤其适用于黏接聚氯乙烯板材、聚氯乙烯泡沫塑料、聚氯乙烯织物等。

1. 丁腈橡胶胶黏剂的组成

（1）改性树脂

丁腈橡胶的极性很高，由其制备的胶黏剂的黏接力大。但丁腈橡胶的结晶性差，内聚力小，因此通常要与其他改性树脂并用。常用的改性树脂有酚醛树脂和环氧树脂，用量为 50~100 份，用量不可过多，否则会使胶层的弹性下降。

（2）硫化剂及促进剂

在丁腈橡胶胶黏剂中，硫化剂是重要的组分之一。常用的硫化剂是硫黄，在特殊场合也可以采用无硫的硫化体系，如过氧化物、醚类等化合物。为了加快硫化速度，有时需要加入促进剂，常用品种有促进剂 DM、促进剂 DZ、促进剂 TMTD 等。当采用硫黄硫化时，以硫黄（1.5~2 份）、促进剂 DM（1~1.5 份）和氧化锌的并用体系最为常用。当体系中无硫或低硫时，主要使用促进剂 TMTD，用量约为 3 份。

（3）补强填充剂

在丁腈橡胶胶黏剂中加入补强填充剂，不仅能够提高黏接强度，而且还可以起到调节胶黏剂的热膨胀系数、降低成本等作用。炭黑是最常用的补强填充剂，补强效果很好，但外观呈黑色，在有颜色要求制品中的应用受到限制。在白色补强剂中，以气相法白炭黑的效果最好，氧化镁次之，碳酸钙、石棉和陶土的效果稍差。

（4）增塑剂

为了提高丁腈橡胶胶黏剂的耐寒性，改善其施工工艺性能，必须加入增塑剂。常用的有邻苯二甲酸二辛酯、邻苯二甲酸二丁酯、磷酸三苯酯、硬脂酸、古马隆树脂、石油衍生物和液体丁腈橡胶等物质。

（5）防老剂

为了保证丁腈橡胶胶黏剂具有良好的贮存稳定性、耐老化性和耐热性，需要选择合适的防老剂。污染性防老剂有防老剂 D、防老剂 RD 或 HP 等胺类防老剂，非污染性防老剂主要是酚类防老剂。此外，没食子酸丙酯作为防老剂，可明显延缓丁腈橡胶胶黏剂的老化速度。

（6）溶剂

可用于丁腈橡胶胶黏剂的溶剂有丙酮、丁酮、甲苯、二氯乙烯、氯苯、乙酸、乙酸乙酯、乙酸丁酯等，有时采用两种或两种以上的混合溶剂。从溶解性、挥发速度、毒性、生产成本等各方面综合考虑，乙酸乙酯是较为理想的溶剂。

2. 丁腈橡胶胶黏剂的制备工艺

按照组成和包装方式分类，丁腈橡胶胶黏剂分为单组分和双组分两类，其制备工艺有较大差别。

（1）单组分

丁腈橡胶在塑炼和混炼时，辊筒温度应保持在 $40 \sim 60 \, ℃$，不得超过 $70 \, ℃$，掌握低容量、小辊距的原则，操作要紧凑，控制不当会给胶黏剂质量带来不良影响。液体配合剂可在混炼时加入，也可在打浆时直接加入溶液内。混炼后，将胶片剪碎后尽快溶解。如果混炼胶停放时间过长，会影响其溶解性能。采用混合溶剂时，应先用强溶剂将混炼胶溶解，然后加入稀释性溶剂。当使用低速搅拌机制备低黏度的胶液时，先用 $1/2 \sim 1/3$ 的溶剂浸泡胶料碎片，经 $4 \sim 6h$ 待充分溶胀后开始搅拌，呈黏稠糊状后，再缓缓加入剩余的溶剂。当使用高速搅拌机制备低黏度的胶液时，先加入 90% 的溶剂，边搅拌边加入胶料碎片，待溶解后，再加入剩余的溶剂。

（2）双组分

也可以将丁腈橡胶的硫化剂和促进剂分别混入丁腈橡胶中，制备成甲、乙两个组分；或者将树脂室温固化剂混入丁腈橡胶中，制成甲组分，树脂用溶剂溶解后，制成乙组分。

3. 丁腈橡胶/树脂胶黏剂的制备及应用

（1）丁腈橡胶/酚醛树脂胶黏剂

单独使用酚醛树脂制备的胶黏剂，虽对金属的黏接强度较高，但柔韧性和耐冲击性差。酚醛树脂和丁腈橡胶混合使用，可以克服酚醛树脂胶黏剂的脆性，使其刚性降低、韧性增加。丁腈橡胶/酚醛树脂胶黏剂的特点：使用温度范围宽，可在-60~150℃温度下长期使用，某些品种的耐热性可达250~300℃；较高的冲击韧性和剥离强度，通常丁腈橡胶/酚醛树脂胶黏剂的剥离强度可达17~28kN/m，而其他结构胶黏剂为8~12kN/m；良好的耐油性、耐化学介质性、耐候性、耐盐雾性、耐水性和耐溶剂性（如乙醇、汽油、乙酸乙酯等），可广泛用于黏接金属或非金属材料。

（2）丁腈橡胶/环氧树脂胶黏剂

丁腈橡胶与各种环氧树脂都有良好的互溶性能，也是环氧胶黏剂常用的增韧剂。使用固体丁腈橡胶必须经过塑炼或混炼，用溶剂配成溶液后，才能加入环氧胶黏剂中，因此配制过程比较复杂，而且制备的胶黏剂含有溶剂，使用不方便，易污染环境。液体丁腈橡胶可直接加入环氧树脂中，制成不含溶剂的丁腈橡胶/环氧树脂胶黏剂。普通的固体或液体丁腈橡胶，因其分子结构中不含能够参与环氧树脂固化反应的活性基因，相互之间只是纯机械混合，丁腈橡胶仅起到增塑剂的作用，性能提高幅度有限。羧基丁腈橡胶因分子结构中有反应性基团，可与环氧树脂形成化学键合，能够显著提高环氧树脂的黏接性能和韧性。当羧基丁腈橡胶中丙烯腈质量分数为23%~30%时，使用效果较好。羧基丁腈橡胶的相对分子质量对胶黏剂的使用性能也有明显影响，特别是对韧性的影响在一定程度上甚至超过丙烯腈含量。

（四）丁基橡胶胶黏剂

丁基橡胶胶黏剂是以丁基橡胶为主体材料制备的胶黏剂，具有较好的密封性、耐老化性和电性能，主要用于丁基橡胶制品及其与金属、塑料、橡胶等之间的黏接。

1. 丁基橡胶胶黏剂的组成

（1）硫化体系

丁基橡胶常用的硫化体系有硫黄、醌肟和树脂三种。

由于硫黄在硫化过程中会产生硫化氢，从而使硫黄还原，因此常加入氧化锌、氧化钙或过氧化物。硫黄硫化体系常用秋兰姆、二硫化氨基甲酸盐做第一促进剂，噻唑类或胍类做第二促进剂，配合氧化锌活化。如果用促进剂TMTD和M，可采用氧化锌为活化剂，组成硫化体系，其硫化速度适中，物理和加工性能较好。

第二类硫化体系是醌肟。采用这种硫化体系，在硫化时交联和断链两个反应同时进行，硫化速度快，并能提高丁基橡胶的耐热性和耐臭氧性。其可在室温下硫化，易于控制。常用的有对醌二脂、二苯甲酰基对醌二脂等，或者对苯二脂与二氧化锰、氧化铅、四氧化三铅等活性剂以及以黏土为载体的对二亚硝基苯并用。在制备浅色胶黏剂时，可用等量的促进剂 DM 代替。

第三类硫化体系为树脂。常用的有活性溴化酚醛树脂系列，或者二甲醇酚醛树脂、叔丁酚甲醛树脂、叔辛酚甲醛树脂等配合氯丁橡胶、氯磺化聚乙烯橡胶、溴化丁基橡胶等使用。一般用量为 5%~10%（质量分数）。有时也可用金属卤化物，如氯化铁、氯化亚锡等。

活性溴化酚醛树脂硫化剂的硫化温度既可以是室温也可以是高温，主要取决于所用的偶联剂种类、浓度及活化剂类型。树脂硫化体系适宜用于制备浅色胶黏剂。

（2）增黏树脂和增塑剂

常用的增黏树脂有萜烯树脂、萜烯酚醛树脂、酚醛树脂、改性松香树脂及酯类。在制备压敏胶时，增黏树脂要与增塑剂并用。常用的增塑剂有聚丁烯、聚丙烯、石蜡油、凡士林及长链的苯二甲酸酯（如邻苯二甲酸十三烷酯）等。

（3）补强填料

丁基橡胶用补强填料是橡胶胶黏剂所通用的，可以根据具体的应用要求来选择。由于丁基橡胶具有结晶性，与天然橡胶和氯丁橡胶相似，自身就具有较好的抗拉强度，因而补强剂的补强效果并不显著，但对提高撕裂强度、延伸强度和耐磨性以及降低成本具有一定的作用。可根据实际情况选择补强填料，例如，嵌缝堵缝胶用白炭黑、抗温耐燃自熄性胶用氧化镍、高性能密封胶用炭黑、双组分密封胶用沉淀碳酸钙等。其中，炭黑的补强作用较为显著。

（4）防老剂

在丁基橡胶中一般不必加入防老剂，主要是由于其不饱和度低而且在生产时已加入足够的防老剂，故具有较好的防老化性能。但在丁基橡胶中加入防臭氧剂 N，N′-二辛基对苯二胺，可以提高其耐臭氧性。

（5）溶剂

丁基橡胶易溶于烃类和氯化烃类溶剂。丁基橡胶胶黏剂的用途和施工方式不同，则所需的胶液固含量也不同。喷涂、蘸涂、刷涂和刮涂的胶液质量分数分别为 5%~10%、10%~30%、25%~55% 和 50%~70%。

（6）其他添加剂

丁基橡胶胶黏剂有时需要配合其他助剂来改善其使用性能。例如，配合使用有机硅偶联剂以提高对基材的黏接性能；配合使用抗氧剂二丁基二硫化氨基甲酸锌盐以提高其抗氧性；加入无定形聚丙烯、油膏等，可降低成本。

2. 丁基橡胶胶黏剂的性能及应用

虽然丁基橡胶的气密性优良、透气率极低、耐热性和耐老化性能好，但由其配制的丁基橡胶胶黏剂却存在强度较低、弹性小、黏性差、硫化速度慢等缺点。因此，通常需要对丁基橡胶进行改性。改性方法一般分为物理共混法和化学法。物理共混法是指在配胶时，加入其他橡胶弹性体与丁基橡胶一起混炼；化学法则利用化学反应，如对丁基橡胶进行氯化、溴化等，得到氯化丁基橡胶或溴化丁基橡胶。在化学改性中，由于在分子链中引入了强极性基团，因此往往可以加快橡胶的硫化速度，改善橡胶的黏性、弹性等，从而提高胶黏剂对基材的黏接能力。氯化丁基橡胶的耐老化性、耐臭氧性、耐磨性、耐酸碱性和绝缘性好，硫化速度快，对基材的黏接性能比丁基橡胶要好得多。这种氯化或溴化反应很容易发生，既可以在溶液中进行，也可以在炼胶时，加入氯化剂与丁基橡胶混炼得到氯化丁基橡胶。

还可以采用共聚方式对丁基橡胶进行改性，即在聚合时引入第三种单体，合成共聚弹性体，如加入苯乙烯、丙烯酸等进行共聚，可得到丁苯胶乳或羧基丁苯胶乳。丁苯胶乳具有良好的耐燃性和耐老化性，但耐油性稍差。此外，还可以配合交联剂提高胶黏剂强度。

丁基橡胶和改性丁基橡胶是不含双键的聚合物，故耐老化性和耐化学性优良，电气性能十分突出，所配制的胶黏剂对极性小的基材（如聚乙烯、聚丙烯等）有一定的黏接能力。而改性丁基橡胶（如溴化丁基橡胶）胶黏剂的极性提高，可用于金属与橡胶的黏接。它们的不饱和度低，硫化效果不如其他不饱和度高的橡胶明显，因此均不可用于制备结构型胶黏剂。

丁基橡胶胶黏剂常用作溶剂压敏胶和密封胶，在医疗卫生、建筑、装潢、包装、电子电器等方面得到了广泛应用。

第三节　胶黏剂检测

一、无损检测

最早的无损检测方法主要是目视法，其准确度较差，难以满足产品黏接质量的要求。随着科学技术的发展，声振检测法、超声检测法、声发射检测法、X射线检测法、热学检测法、全息照相检测法等无损检测方法日益成熟，为黏接制品的质量检测提供了有力保障。

（一）声振检测法

1. 敲击法

这是应用较早的一种检测方法。检测人员使用硬币、尼龙棒或带有弹性手柄的小锤，沿黏接件表面依次叩击，根据发出的不同声音判断缺陷是否存在以及确定缺陷的所在位置。如果黏接件内部存在缺陷如气泡、脱胶或分层，则该缺陷处的被黏接部位会形成振动，同时也会带动缺陷处发生振动。但缺陷处的振动状态如固有频率、谐波等与整体不同，会形成差别。因此，对于黏接质量好的部位，其扣击声清脆；缺陷处则声音低沉。该方法简单易行，特别是对于一些金属黏接件的检测，具有一定的实用价值。但敲击法的可靠性和准确程度与检测人员的经验有关。

2. 声撞击法

声撞击法是在敲击法基础上发展起来的无损检测方法。该方法主要是利用振动装置与接收器完成。振动装置的振动打击锤以恒定的力敲击被测的黏接件表面，而接收器则监控打击所产生的声信号并将之转化为电信号，经频谱分析仪将所测得的频谱与无质量问题的试样频谱进行对照，以判断是否存在缺陷。该方法由于配备了附加装置，减少了人为误差，其结果比较客观。

3. 声阻抗法

任何材料都有固定的机械阻抗，其阻抗与材料尺寸、密度、弹性等以及吸收弹性振动的程度有关。当黏接件的厚度、密度或刚性增大时，机械阻抗增加；如果黏接件产生缺陷，则机械阻抗下降。声阻抗法就是通过检测黏接件表面机械阻抗的变化来判断其缺陷的方法。

声阻抗测试仪由振荡器、放大器、电源和传感器等组成。其工作原理是向上端发射压电元件提供一个稳定的交流电压，使压电元件由于反压电效应而成为弹性振动源，并在下端测力电压元件上产生交变电压。当传感器没有与被测黏接件表面接触时，作用在探针上的负载及反作用力为零。当探针压在黏接件表面上并移动时，在黏接好的部位的电压值大，而在缺陷处的电压值小。这一信号电压的变化由接在放大器输出端的指示仪记录下来。如果电压低到某一数值时，继电器便接通安装在探针内的信号灯，表示有缺陷存在。

4. 声谐振法

声谐振法是利用换能器促使被测黏接件振动，并将这一局部谐振与黏接质量好的或有缺陷的标准试样进行对比，从而判断被测黏接件有无缺陷或者是什么类型的缺陷。在声谐振法测试仪器中，最著名的是福克（Foekker）黏接测试仪（简称福克仪），此外还有阿汶（Arvin）声冲击仪、NAA 声谐振器等。

福克仪的工作原理是借助超声波，向黏接接头引入快速变化的剪切载荷和扯离载荷，测出胶层对所加载荷相应的反应，并测定此时黏接件所产生的应力。通过多次测试，将福克仪显示的应力值与试验机测试的黏接拉伸剪切强度值绘制成曲线，并进行比较。

（二）超声检测法

超声检测法是在黏接件无损检测中应用最普遍的一种方法。当超声波由空气传向金属或由金属传向空气时，有约99%被界面反射回去。因此，当金属黏接件存在缺陷时，由发射探头发出的超声波就会被缺陷的空气/金属界面反射回去，而在缺陷的另外一面，由于不能透过超声波，就会产生投射面积和缺陷相近似的"阴影"。利用这种现象可以在发射超声波的一方测定反射的超声波，或者在对面测定超声波的减弱程度来发现缺陷。

超声检测法主要有反射法和穿透法两种。反射法是将超声波从发射探头传入并贯穿黏接件时，当其内部没有缺陷，超声波即在指示仪上显示信号，利用接收探头放在超声波入射一方，用以测量反射的超声波。如果黏接件有缺陷，则一部分超声波便先被缺陷（如缺胶、脱胶、空隙等）反射回来，在指示仪上出现缺陷反射信号，从而检测黏接件中的缺陷。对于多层薄板结构的检测，由于多界面以及超声耦合层会造成回波重叠，出现紊乱，区分各界面的反射信号就显得困难。因此，对于多层薄板黏接件的检测，必须采用10MHz以上的高频转换器，而且入射功率须补偿夹芯对超声信号的严重衰减。

穿透法是通过测量穿过被检测黏接结构的超声波的穿透率来进行无损检测的。由于穿透法声波传输的路程仅为反射法的一半，因此有利于检测对超声能量衰减大的黏接件，如多层薄板结构和金属蜂窝状夹芯结构的黏接件，具有很高的灵敏度。常用频率范围为100~200kHz。但是这种方法在检测多层结构黏接件时，不能确定缺陷的性质以及缺陷具体在哪一层。

（三）声发射检测法

对黏接件施加适当的应力后，黏接强度低于标准的部位，会形成应力集中使得结构产生微观破坏，并伴随着声响。通过对声响的检测，可以判断黏接件是否存在缺陷以及缺陷的程度。一般地，当施加应力为实际破坏应力的40%时，就能使黏接产生声发射。通常16kHz以上的声发射就可以预测到黏接结构的破坏程度。

该方法操作简便，能够测出黏接结构的低黏接强度区，对于较大面积的黏接件也可以一次检查，适合自动分析，可制成便携式设备。其缺点是要对黏接件施加应力、需要表面接触、难以确定缺陷的性质等。

（四）X射线检测法

X射线检测法与金属X射线检测法相似。但由于胶层的密度要比金属或其它材料低，导致射线穿过胶层时强度减弱，因此通常需要在胶黏剂中加入金属氧化物粉末如氧化铅、氧化铝等，以增加黏接良好部位对 X 射线的吸收。在这种情况下，采用 X 射线甚至可以检测到胶层中很小的气泡。

X 射线检测法能够得到直观的缺陷图像，主要用于蜂窝结构黏接件的质量检测，如水的侵入、气泡以及孔洞等。

（五）热学检测法

热学检测法主要是利用热传导、热扩散及热容量的变化与胶层厚度及密度之间的关系，通过测定黏接件的表面温度及分布情况，判断黏接件近表面的缺陷。主要有红外线法和液晶法。

1. 红外线法

当红外线从被黏接件的表面射入胶层时，在有缺陷的部位，其体积热扩散系数与周围不同，温度也会产生差异，从而判断缺陷的存在。例如，当黏接件脱胶时，脱胶部位的传热性差，其表面温度比黏接良好的部位高；当胶层有空隙时，其冷却速度比黏接良好部位的快，表面温度低；在检测金属板黏接结构时，良好黏接部位的胶层像一个保温层，热量的扩散较为迟缓。

红外检测法不需要直接接触被测黏接件的表面，灵敏度和自动化程度高，对温度的分辨能力达到 0.2℃以内。该方法适用于石墨或硼纤维等非金属做蒙皮、铝做蜂窝夹芯或者钛金属做面板、铝做夹芯的黏接结构。

2. 液晶法

该方法一般是以胆甾醇类化合物的液晶作为温度敏感元件，在一定温度范围内，利用液晶的颜色变化来检查黏接件内部的缺陷图像。当用热源照射被测黏接件的表面，如果其表面下有脱胶、气泡等缺陷时，会产生热传导不均匀，在缺陷附近形成一个不均匀的温度场，因此会在黏接件表面上产生一个温度梯度。若缺陷与其周围部分所对应的表面温差刚好等于某种液晶的变色温差时，在一定的观察角度下，缺陷处会显示某种颜色，而在缺陷周围处显示另外一种颜色。

测试时，将被测黏接件表面除油、涂黑并干燥后，在其表面按 7~8 滴/100cm² 的比例滴加液晶，用聚氨酯胶辊滚匀，待溶剂挥发后即可检测。采用碘钨灯对其进行加热，先将灯调至最亮，然后在测试件上方约 0.5m 处来回移动数次，而后由其自然冷却，观察表面的颜色变化情况，最先出现的颜色和最慢消失的颜色部位即为缺陷所在部位。

液晶法具有操作简单、方便、检测缺陷直观可靠等优点，但是其成本较高，对大面积黏接质量检测时间长，需要与被测黏接件表面接触，对黏接件的表面厚度也有一定的要求。

（六）全息照相检测法

如果把物体反射的光波与另外一个与之相干的光波在照相底片上发生干涉，则在照片上就会产生反照相干涉的条纹，这样照相便可能记录光波的全部信息，称为全息照相。

全息照相检测法又称为全息照相干涉法。通过对黏接件在两种不同的状态（如加热、施加应力、声振动等）下的表面微量位移的全息图进行对比，观察其干涉条纹来检测其内部黏接质量。如果黏接件内部存在缺陷，则在一定的外力作用下，缺陷对应部位的表面变形异常，会使干涉条纹发生畸变，从而确定其缺陷的存在。

二、老化性能检测

黏接件在使用过程中，黏接接头受到太阳光、空气中的氧、湿热、水分、臭氧、工业腐蚀气体、盐雾、霉菌以及其他介质的长期作用，会导致胶黏剂的性能下降及其黏接接头的破坏，这种现象称为胶黏剂的老化。老化试验的目的是了解并测定胶黏剂抵抗各种介质的能力，估计并确定黏接接头的使用寿命。

目前，大多数胶黏剂是由有机高分子组成，因此测定胶黏剂老化的方法和机理多沿用常用高分子材料的老化方法。但胶黏剂的老化更为复杂，在这方面还缺乏系统的研究。

有机高分子物质老化的原因，主要是受到介质作用后高分子链发生了交联或降解。此外，某些卤代高分子化合物受热发生氧化降解时会释放出卤化氢，还有一些胶黏剂在使用过程中会发生增塑剂的迁移、流失等。一般地，太阳光特别是波长为 $290\sim400nm$ 的紫外光对高分子材料的老化有着显著的影响。胶黏剂在紫外光作用下能够引起光化学反应，使聚合物中的大分子链破坏。但对于多数胶黏剂而言，紫外光不是其老化的主要原因，对其老化影响更为显著的是湿热作用，即水分和热量的双重作用。在水分的作用下，不仅胶黏剂分子中可以水解的基团（如酯基、羧基等）被破坏，而且胶层表面可溶于水的添加剂（如抗氧剂、增塑剂、稳定剂等）也会流失，加速胶黏剂的老化。在热量的作用下，可使高聚物分子链发生裂解，其裂解程度随着聚合程度的增大而增大。

由于介质种类繁多，因此胶黏剂老化试验的方法也很多。其中，最为常用的主要为大气老化（自然老化）、大气加速老化、人工模拟气候加速老化、湿热老化、盐雾老化等。

（一）大气老化

我国目前主要分为湿热带气候区、亚热带气候区、寒冷带气候区、沙漠气候区和高原气候区。为了获得较为全面的耐大气老化数据，需要在每一种气候类型区域里选择一个代表点，使试件充分受到太阳光及大气中各种不同环境介质的综合作用，通过考察其外观及物理机械性能的变化来评定大气老化性能。

试验前先将暴晒架安装在指定地点，暴晒架一般用钢材经焊接制成，涂浅灰色或草绿色保护漆。场地周围必须空旷，周围障碍物至暴晒场地边缘的距离至少超过障碍物高度的3倍，然后将试样用不锈钢的金属丝固定在暴晒架上，试样之间的距离不小于10mm。试样暴晒时间一般不少于1年。暴晒1年的试样，每月测定一次性能；暴晒3年的试样，每个季度测定一次性能；暴晒5年的试样，每半年测定一次性能；超过5年的试样，每年测定一次性能。将老化以后测定的各黏接件的各种性能，与老化前的性能进行对比，一般把降到原设计允许的最小承受负荷作为该胶黏剂的老化指标，或者把降至原始性能的50%作为老化指标。

大气老化试验测试结果虽然可靠而且实际，但需要很长时间才能得到结果，而且我国幅员辽阔，气候变化大，不可能有固定的试验条件，因此测试结果的重现性不好，实际应用也受到较大的限制。目前在大气老化试验基础上发展起来的大气加速老化试验和人工模拟气候加速老化试验获得了越来越多的应用。

（二）大气加速老化

大气加速老化是在特制的加速老化试验机上进行的，以人工的方法模拟或强化大气中的光、热、降雨、湿度等因素的影响，以期在较短的时间内获取接近于天然条件下大气老化的结果。

大气加速老化试验机是一种在户外使用、全天跟踪太阳的自动暴晒架。当太阳光线偏转时，其光电探头发出信号，通过光继电装置，带动可逆电动机，然后通过变速机构使旋转轴转动，从而使反射镜始终对准太阳。反射镜将阳光聚焦反射到暴晒架的试样上，使试样始终受到比自然暴晒时强得多的光照。根据测试 DJ 型大气加速老化试验机光能量的增加倍数，可知紫外光、可见光和红外光的能量分别增加 2.5 倍、3.5 倍和 3.5 倍，并且反射光与太阳光在光谱分布上极为相似，从而加速了老化过程。其他环境要素如风、雨、露、霜等与天然环境接近，因而模拟效果较好。此外，可以通过在试验机上增减反射镜数量来调节平均光强的增加倍数，从而控制光加速老化的效能。试验机上配备的自动控制鼓风冷却装置和喷水装置，为模拟典型气候和加速老化试验创造了条件。通过试验机上的运转（光照）时间光电自动累积装置，自动记录试验时间，可用来计算加速倍数和推算老化寿命。

大气加速老化试验方法的模拟性好，与普通大气老化试验相比，可大大缩短时间，其不足之处是对外界的依赖性较大。但总的来说，该方法是一种很有发展前途的老化试验方法。

（三）湿热老化

高温和高湿的共同作用可以破坏胶层的组成与结构，是胶黏剂老化的主要原因。湿热试验一般是在调温调湿箱中进行的，调温调湿箱能够借助空气流动使供湿装置产生一定量的水蒸气并鼓入试验箱内，通过温度和湿度控制系统的调节而获得规定的温度和湿度。当试验箱中的温度和湿度达到控制数值后，其有效试验空间内的任何一点的温度和相对湿度与控制值的偏差范围应严格控制在温度±2℃和相对湿度±3%以内。试验箱内任意一处的空气应流动，但风速不大于 1m/s。如采用喷水雾法或加泡法加湿时，所用的水应洁净，一般采用蒸馏水。样品在测试前应除去灰尘、油污等杂质，保证完整无损，尽可能地按照工作状态放置，样品放置时不能互相重叠、接触，并应避免上层样品的冷却水滴落在下层样品上。

（四）盐雾老化

盐雾老化试验主要是反映沿海及沿海陆地的大气中的盐雾对黏接接头的腐蚀和破坏的情况。盐雾的破坏过程大体上是当盐雾微粒沉降在黏接件上，便迅速吸潮溶解成氯化物的水溶液，在一定温度和湿度条件下，这样的氯化物水溶液或离解后的氯离子，具有很大的渗透能力，能深入胶层内部，加速电化学腐蚀反应，从而引起胶层的老化。

盐雾老化试验可在各种盐雾试验箱内进行，所用试样的处理与大气老化相同，按照有关标准配制含有 $NaCl$、$MgCl_2$、$CaCl_2$、KCl 等一定浓度的盐水溶液，控制 pH 值为 6.5~7.2。

将试样从试验箱中取出后，用少量棉花蘸水，除去试样上的盐粒，存放 24h 后测定其各种性能，并将其与空白试验比较，判断该胶黏剂的耐盐雾腐蚀性能。

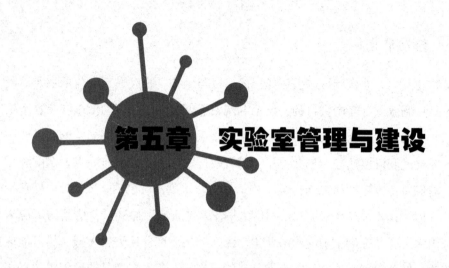

第五章 实验室管理与建设

第一节 实验室与实验室管理学

实验室被称为科学的摇篮。实验室类别按学科分类可分为物理实验室、化学实验室、生物实验室；如果按工作性质分类，通常可分为三种类型：技术研究实验室、检测实验室、校准实验室。技术研究实验室是把知识转换为技术的场所，或者说，是把科学技术转换为生产力的场所，因此历史上多称为"工业实验室"，诸如著名的贝尔实验室、拜尔实验室以及杜邦公司的东方实验室等，这类实验室推进了科学技术向生产力的转化，促进了区域经济的快速发展。检测实验室和校准实验室承担的任务主要是检测/校准技术研究和服务，特别是检测实验室，它是政府部门和社会各界用以保证产品质量、食品安全、建设工程质量安全，保护环境，反欺诈，保障公平贸易为目的的技术机构。检测实验室的基本定义是，用指定的方法检验测试某种物体（气体、液体、固体）指定的技术性能指标的场所。

一、实验室的社会作用

在经济社会发展中，实验室对于经济、科技、社会的综合作用不仅限于对商品质量的判定和控制，还具有更为宽泛、重要的社会作用。

（一）检测实验室的发展

客观上，实验室是经济目的和科技手段相结合的产物，如果说检测实验室具有科技和生产两种成分，在生产成分中本身就有产业的含义。作为科技服务的行业代表，实验室的发展带动并影响着第三产业的发展。因为实验室又是科技活动的基本组织形式，而企业组织是现代经济活动的最基本组织形式，按照马克思所说：生产过程成了科学的应用，而科学反过来成了生产过程的因素。检测实验室面临社会、经济、科技发展的时代要求，只有作为一个产业发展才能适应社会化生产过程。

（二）检测实验室技术规制的作用

按照西方经济学"理性经济人"观点，市场经济环境条件下，生产者必定追求"利益最大化"，而消费者同样会希望用"消费者利益剩余"（希望购买价格与实际购买价格之差）衡量市场运行效率，但由于任何经济体制下都会存在"商品质量信息和市场信息不对称"等市场失灵的问题，存在衡量商品质量的最低技术标准并且公正地执行技术标准问题，因此提高商品信息的透明度十分必要。检测实验室按照技术标准检测并评价商品质量，将不合格的产品阻挡在市场之外，有助于提高市场现有商品的平均质量，提高消费者的福利水平；而消费者愿意为高质量的商品支付高价，提供优质商品的生产者也可以获得更高的回报。检测实验室的规制作用使买卖双方的福利状况都得到改善，是典型的帕累托改进。

（三）检测实验室的技术引导作用

当今社会已经进入全球化经济时代，国际贸易日益广泛，但世界贸易自由化与国家利益最大化两种理论、两种政策的争论由来已久，从重商主义时代的关税贸易保护到贸易自由化主流时代的削减关税运动，再到以技术性贸易保护措施为主的"后贸易保护时代"，各国之间国际贸易并未因"比较优势"理论的认同而消除壁垒，相反由于国家之间的经济、技术、科技水平的差异而使技术性贸易壁垒越筑越高，经济发展的"马太效应"越来越明显。然而许多"后发展"国家的发展事实说明，技术性贸易措施的"双刃剑"正面作用，主要依靠检测实验室的技术引导得到发挥，通过有针对性的"普查"找出出口商品的"差距"，引导生产企业采取措施消除差距、提高商品技术水平、跨越壁垒。即使是在国内市场，技术性能指标在很大程度上也反映了产业、产品、商品的质量水平或市场价值。检测实验室适用于各种行业范畴的质量评定。通过检测反映出的商品的技术性能指标是随着经济社会的发展变化的，基本反映了生产力的发展水平，也意味着社会对产业（产品）认识的深度。类似于上述应对技术性贸易壁垒的情况，检测实验室在指导产业发展方向方面，发挥着不可替代的作用。检测实验室关系到商品质量评价权、产业发展指导权。

（四）检测实验室具有成果孵化基地作用

产业的生命力依赖于产业边际成本，也会受到社会需求变化因素的影响。产业经济的健康发展要求产业不断升级，其中应用新技术、新工艺、新材料的产业转型和升级是当代社会、环境保护、能源需求所倡导的，高效率、低消耗、低污染、生态友好的产品是产业调整、升级的大趋势。客观上，工业企业的兴起依赖于技术创新，但在产业革命的中后期更加依赖于基础科学领域的指导和发展，以生产为起点的技术进步模式（生产—技术—科学），转变为以"科学"为先导的理论模式（科学—技术—生产）。技术创新成就的出现直接决定了某一原料、产品等产业和行业的生成和定位。例如，塑料包装生产中加入添加剂是塑料包装性能的需要，但受到食品安全因素的限制。显然，对于特定的塑料、添加剂和迁移量要求，把握塑料添加剂添加量与迁移量之间关系非常重要，由此可见实验室"中试基地"的作用，体现实验室由"事后把关"向产前技术指导的优势。

目前，我国有数万家各类检测实验室，分布在工业、农业、服务业等领域。这些实验室为切实保证贸易公平、产品质量和食品安全，保护消费者权益，维护正常的社会经济秩序，促进贸易和产业发展等发挥了重要而积极的作用。随着经济社会的发展，检测实验室的社会角色也在发生变化，持续满足经济社会需要的发展更加迫切。基于此，检测实验室管理学的研究要不断满足实验室发展的要求，并且实验室管理学本身也得到了不断发展。

检测实验室历来被称为工业的眼睛。作为从事检验、检测、检定、鉴定、校准、检查、教学及科学研究分析等工作的技术机构，实验室的检测数据日益成为产品质量、安全判断的重要依据。近年来，随着检测市场已经对外开放，我国实验室的类型、机制、体制正在发生着深刻的变化，整个市场呈现出外资、民营和国有实验室三足鼎立的局面。实验室发展中也出现了实验室数据不能令人信服等不尽如人意的现象。鱼目混珠及极端的经济利益导向可能导致检测市场的混乱和经济社会的崩溃，甚至于伪科学出现也未可知。实验室技术能力绝不是设备和检测人员的简单集合，需要"管理"软件成为实验室的支持系统。研究和把握实验室工作的规律，依靠具有科学意识、哲学思维的管理理论、方法，把实验室资源转化为技术能力，才是充分发挥检测实验室作用的根本途径。

作为经济社会运行链条的重要环节，检测实验室管理更多的是要解决实验室活动中管理目标、运行程序、管理方法等问题，实验室工作实践中遇到的问题都需要实验室管理学的研究得出答案。诸如实验室管理性质是什么，发展的终极目标是什么，实验室的运行、发展与社会、经济、科技发展的关系是什么，影响实验室发展的因素是什么，实验室与产品质量、产业水平、经济质量的关系是什么，检测实验室的发展规律及良性循环的基本标准是什么等问题，都需要站在实验室管理学的角度深入实践、研究、再实践、再研究。按照马克思主义认识、实践的辩证唯物主义学说，来源于实验室工作实践总结的管理思想，对于推动检测实验室管理科学研究具有现实和深远意义。

二、实验室管理学的形成与发展

实验室管理学形成过程与社会生产力的发展及质量运动的发展变化紧密相关，也就是说，对实验室在社会生产中的作用的理解是随着人们对"质量""质量管理"认识的不断深化而不断清晰的。特别是"检验与质量"的关系问题的研究、统计学的应用以及产品质量形成全过程控制、质量体系科学普及，深化了实验室管理概念的理解。由于实验室自身发展的要求及工作安全、效率的需要，通过实践—认识的过程，形成了一门学科：实验室管理学。实验室管理学是以经典管理理论为基础，以检测技术管理为研究对象，吸收信息学、统计学、行政学等学科知识，运用计划、组织、协调、领导、控制的系统原理，研究阐述实验室发展规律和管理方法的科学。实验室管理的目标是实验室质量提高，是通过质量赢得竞争力的能力提高。在检测实验室中，检测数据的可靠性是体现质量的本质要素。

（一）质量运动的发展与实验室管理学的形成

古代巴比伦国王汉谟拉比（Hammurabi，公元前 1 792—1 750 年）使巴比伦成为美索不达米亚的主要王国，并把美索不达米亚和苏美尔的法律编入法典。汉谟拉比法典规定：若房屋倒塌将判建房者死罪。由此可见人们对质量的重视由来已久。国际标准化组织对质量的定义是：一组固有特性满足要求的程度。这里"程度"的定性或定量化的过程往往是通过检验或实验完成的。质量管理的发展和对质量概念的认识，与检测实验室发展和实验室管理学的形成密不可分，人们对质量的重视导致质量管理的产生和发展，同时带动了实验室管理学的建立和进步。

近百年来，质量运动基本经历了四个时期。

1. 全数检验时期

20 世纪初，社会规模需求导致了生产工业化，产品质量得到了空前重视，进而产生了质量检验制度。以检验检测保证商品质量的检测部门和以生产产品为目的的生产部门形成了对立统一体，导致了质量检测与产品生产的分离，并开始形成了相对独立的检测实验室学科体系。

这一时期，实验室管理学的主要任务是研究检测数据与产品质量的关系，是一种相对简单的对应性关系，严格意义上还仅仅是一个区别于传统生产部门管理学的分支，还没有对研究目的、方向和涉及影响管理目标因素的相互关系进行系统研究。

2. 统计质量控制时期

把检验作为获得质量的手段（当时就是这样认为的）受到数理统计学家休哈特的挑战。休哈特认为：可以通过对制造过程的控制减少出现不合格品的机会，从而改善产品的质量状况。他运用数理统计原理建立制造过程波动（变异）的数学期望，并对过程数据进行统计和分析，以便发现非正常波动的迹象并找出原因加以调整或改进。在同一时期着重研究产品的抽样检验问题，期望如何应用数理统计学，获得能够代替全部产品的样本实施检验，从而减少投入检验工作中的人力、物力和时间。

与此同时，20 世纪 40 年代，澳大利亚率先建立了国家测试机构协会（NATA），组织对澳大利亚联邦的检测实验室的自愿注册。之后的 40 多年，出于消除国际贸易技术壁垒的需要，英国、美国、法国、加拿大，甚至印度、新加坡、马来西亚等国家的国际实验室认可机构相继成立。众多国家实验室评估和认可工作的开展，推动了实验室管理学的建立，也预示着区域和国际性实验室认可标准和管理科学机构的诞生。

应该认为这一时期是实验室管理学真正成为管理学科向科学、系统发展的重要时期。统计学的发展和在实验室领域的应用推进了实验室管理科学的发展，以检测数据可靠性、检测样品代表性为重点，通过质量控制图等有效的管理手段、活动达到管理目标的研究非常普遍。由于对检测结果的重视（以结果判断商品合格与否），对于如何保证实验室数据质量的命题引起全球重视，同时出于减少贸易壁垒负面影响的考虑，检测数据互认的愿望空前迫切，为此提出检测数据互认的评定依据，实验室管理体系的概念应运而生，进一步促进了实验室管理学的进步。

3. 综合质量管理时期

当质量管理在工具层面上日益完善的时候，人们发现：实验室检测仅仅发现不合格，而大量的产品质量问题仍然存在而得不到解决。运用帕雷托的分析模型，戴明发现：80% 的质量问题是管理问题，而真正属于技术原因的不超过 20%。英国首先提出质量保证概念。质量保证体系和全面质量管理的共同点，都是强调把质量管理放到整个企业管理的角度进行思考、策划和实施，即把质量管理作为企业管理的一种优先战略。

对应于 ISO 9000 管理体系标准，国际实验室认可会议于 20 世纪 70 年代召开，为各国实验室的管理、认可和发展提供了国际交流的平台，制定了实验室认可准则的说明，并提交给国际标准化组织。同年，ISO 导则 25：1 978《评审测试实验室技术能力导则》发布，标志着实验室管理及技术能力国际标准化时代的到来。这个时期是体系化管理理念的进步时期，受到 ISO 9000 管理体系的深刻影响，从市场化、客户观点、满足客户需求的管理理念，研究实验室管理学问题，大大增强了管理的针对性，显著提升了学科研究的科学性、系统性。在拓展研究领域方面，以检测实验室管理如何适应实验室发展的社会、经济、科技需求为导向，不但增强了学科的生命力，而且对为检测实验室的社会化发展形成了互动与促进，深化了研究层次和学科内涵。

4. 质量文化管理时期

20 世纪末期，对于社会性组织管理问题的探讨和实践十分活跃，多元化的管理思潮、管理理论、管理方法相互交织。也正是在这样的环境和氛围中，质量管理逐步形成一门完整的学科，像所有管理学科一样，质量管理学的理论体系由三个层次构成：质量管理哲学（质量管理思想）、质量管理方法和质量管理工具。20 世纪 70 年代末，戴明博士在日本推行 SPC 获得巨大成功之后，也希望在美国企业推广这些方法，但遭到了冷遇，在痛心疾首和痛定思痛地反思之后，他意识到文化的变革才是（管理变革的）根本。之后越来越多的人开始思索文化变革之于管理变革的影响和作用。"零缺陷"的理念，"第一次就把正确的事情做好"的思维方式，体现了现代管理的哲学思想，也标志着"完整性"的菲利浦·克劳斯比时代已经到来。美国管理学家菲利浦·克劳斯比认为传统的质量控制、可接受质量水平和不合格产品都属失败而并非成功的保证。由于很多组织各自的政策和系统允许与实际要求有偏差，组织会由于做错事情而损失收入的大部分。他估计这种损失占制造企业收入的 20%，在服务组织中上升至 35%。

在菲利浦·克劳斯比看来，质量就是符合要求，对它的衡量只能是不符合要求的代价，这意味着工作的唯一标准就是零缺陷。按照菲利浦·克劳斯比的观点，质量管理成效依赖于质量文化的支配。组织文化是组织成员在灵魂深处共有的信仰及价值观，并形成了组织个体或群体的行为准则。在富有神韵的组织文化支配下，组织在走过"有形有神"的阶段之后，会进入大音希声的"有神无形"阶段。通俗地说，"零缺陷"理念深入人心，组织的管理者就会清晰地识别预防成本的巨大作用，明确质量管理的精髓在于预防不合格的发生，把管理的主要力量放到预防不合格而不是放在查找不合格的原因、解决不合格问题。面对卓越的质量管理绩效，组织管理者可以轻松地说："我们知道为什么没有质量问题！"

在实验室管理学发展进程中，值得一提的是，1 862 年德国人克虏伯在坎布里亚炼铁公司设立了化学研究实验室，主要供分析产品、原料、燃料和排放的气体使用，兼具检测实验室和工业实验室的研究功能。以此为代表的工业实验室的发展历程在科技、经济、社会协调发展中所发挥的结合点作用以及在实验室发展中管理学导向因素的影响，对今天研究检测实验室管理学、实验室发展仍然具有现实意义。可以说，检测实验室本身拥有的科技思维、技术能力和代表社会发展方向的知识的生产，如何通过实验室管理学的计划、组织、协调、领导、控制的作用，有效地与企业期待、社会需要的物质资料的生产有机结合，成为科技、经济、社会协调发展生生不息的动力源泉，成为科学技术的强大推动力量，是检测实验室管理学研究的重要任务。

（二）实验室管理学的发展

实验室的产品也要保证质量，这是被社会普遍认同的概念。但实验室又是一个不同于一般产品生产或行业服务的部门，无论是针对产品、商品的检测还是针对行政执法的技术支持，基本的实验室产品都是有一定技术含量的检测数据。检测数据可靠性受到环境、设备、试剂、检测方法和检测人员等多种因素的制约，因此有专门的学科研究检测数据的评价，还有专门的国际标准（准则或通用要求）规范实验室的管理体系。前者是技术因素的控制措施，后者则是非技术因素的规范行为，说明实验室检测数据的可靠性不仅仅是技术水平的表征，也凝聚着管理的力量。

同时，检测实验室又是一个技术服务机构，实验室管理具有服务管理的特征。"过程既是产品"适用于实验室检测行业，实验室运作、战略、发展既需要支持性设施、辅助物品这样的物质硬件，需要人力资源、技术资源这样的资源硬件，还需要借助"管理"这样的软件系统，使硬件发挥作用并转化为生产力。实验室发展了，实验室管理学必然伴随着需要而发展。

实验室管理学作为现代管理学中的一个分支，是在社会发展、技术进步、实验室的发展过程中发展起来的一门新兴学科。其既有管理学系统性、实践性、目标性、艺术性和权变性的特点，也在内容和体系上体现了技术机构管理学术性、科学性、循环性的特征。它起源于20世纪中叶，尽管其发展历史仅有几十年的时间，但由于实验室在现代科学技术发展中的特殊作用，因此实验室管理科学有力地促进了实验室事业的快速发展。20世纪80年代中期在日内瓦成立了"世界实验室组织"，大大推动了世界性的实验室管理和实验技术的广泛交流，实验室管理也逐步发展成为一门独立的管理学的分支。针对实验室管理文件的编写、管理体系的建立和实施等专门的论著多有出版。近年来，实验室管理学在医学院校有专门的教授，并在辅助临床医疗、指导医疗实践、促进科技发展等方面发挥着重要作用。我国在引进、运用、实践、研究实验室管理方面做出了可喜的尝试和卓越的努力。各类检验工作大多数是基于实验室来完成的，能否正常地开展工作以及能否通过实验室给出准确的结果或结论，很大程度上取决于检测过程是否在一个管理规范、科学控制有效的实验环境中进行，因此做好实验室管理的各项工作是所有实验室有效工作的前提和保障。

高素养、专业化的实验室管理阶层的培养和出现，为职业科技人员成长提供了优秀的管理和服务人员，也为把科学精神和商业价值联系起来准备了人才资源。把职业科技人员从琐细的日常事务以及他们并不擅长的商业和经济活动中解放出来，为实验室的发展提供了战略视域。实验室管理就像教育一样，它并不是直接的生产力，但对生产力的发展有巨大推动作用。

三、实验室管理学的研究对象、原理和方法

随着实验室的发展，实验室管理学研究的内容、范围和研究方法不断发展和创新。实验室管理是指导人们管理实验室及其活动的一门科学，它运用自然科学、社会科学、人文科学、实验科学以及其他相关学科的原理和方法，研究实验室运行过程中各项活动的基本规律及方法，指导实验室管理者遵循实验室的发展、运行规律，形成实验室人才培养、科技进步、产业发展及促进自身发展的良性循环。

（一）实验室管理学的研究任务

概括地讲，实验室管理学是专门研究实验室的管理活动及其基本规律、一般方法的科学。它通过总结国内和国外的实验室管理经验，分析现实需要和可能，综合各种管理的原则和方法，运用现代科学提供的先进手段，探索与研究实验室管理的科学化、规范化和标准化，充分发挥实验室的人力、物力、财力、时间和信息等要素的作用，使实验室在出人才（育人）、出成果（科研）、出效果（成果转化、检测服务）诸方面取得最佳效益。

1. 实验室管理思想的研究

管理思想是管理实践的产物，而管理实践是与人类历史的发展同步进行的，对管理理论的研究就需要追寻人类的管理实践，扫描不同时期的管理环境，研究管理思想的演变和发展的历史趋势，从中把握管理的发展规律。实验室管理思想也是随着经济社会、产业发展对检测实验室的需要而发展的，伴随着实验室能力要求的变化、实验室数据互认的发展趋势、向第三方实验室发展的动力的形成以及实验室质量保证的社会需求，应该对代表不同管理理念的实验室管理思想进行系统研究并形成管理理论，在实践中发展理论。

2. 管理过程和职能的研究

管理是一个过程，管理者就是在这个过程中重复地履行各种职能的。对管理的过程和职能的研究，主要是研究管理的计划与决策、实施和执行、组织和人事、领导和指挥、控制和监督、评价和调整等，以便从中找到管理的循环规律，明确管理循环是往复不断、呈螺旋式上升的。管理的职能应结合管理的目标展开，围绕管理目标实施管理，增强管理的整体性；管理还要有战略思维，在战略思维指导下，把管理的基本原理应用于管理过程，创新管理方法，适应时代要求，最大化地满足管理对象的特点和实验室发展需要。

3. 实验室生产力的研究

主要研究生产力的合理组织问题。研究如何合理地、经济地、高效地使用和协调组织内的人、财、物资源来达到管理目的，即怎样计划、组织、控制这些资源的使用问题。人是最活跃的生产力要素，作为技术服务行业的实验室管理既有技术管理的成分，也不能偏

离服务机构管理的基本规律，特别是人的管理，遵循人本规律，利用激励、培训、创新体验、自我管理与潜能发挥、关注流程但鼓励再造，有分工但主要依靠团队的默契，最大限度地激发生产力因素的活力，形成工作的动力。

4. 管理的生产关系属性的研究

在生产关系方面，管理学主要研究如何正确处理管理系统内部人与人的关系，如领导和员工的关系、管理者与被管理者的关系、员工之间的关系；如何建立和完善组织机构和分工协作关系；如何调动各方面的积极因素，达到最大的工作效益。在检测实验室，准确、可靠的检测数据是实验室和客户共同的追求，而实验室发展的需要，则要求实施多目标管理，分目标及实验室终极目标的实现需要前台（与客户接触）与后台（检测技术人员）的协作、技术人员与管理人员的协作以及技术人员之间、管理人员之间的协作，用实验室机制平衡相互之间的关系，用共同的文化、一致的理念对待工作和同事。

管理离不开政策、法令和规章制度。管理学主要研究的是组织的管理体制、规章制度的建立和完善问题；研究组织的内部环境与不断变化的外部环境相适应的关系问题；研究组织文化的塑造和落实的问题，以维持正常的生产关系，适应和促进生产力的发展。

（二）实验室管理学研究的内容、基本原理

实验室管理学研究的内容十分广泛，包括了实验室工作的全部活动，即实验室计划管理、人员管理、仪器设备管理、经费管理、信息管理、科研实验管理活动、绩效评价等等。但就研究内容的实质来讲，主要是研究实验室管理的基本规律、基本原则、动态过程、方法和手段。

实验室管理学的基本原理是对客观事物的实质及其基本运动规律的表述。实验室管理学的基本原理是应用了现代管理科学的基本原理对实验室管理工作的实质内容进行分析和研究而总结出来的，包括系统原理、人本原理、动态原理和效益原理。这四项基本原理又可包含整分合原理、封闭原理、能级原理、动力原理、行为原理、反馈原理、弹性原理和价值原理等。

（三）实验室管理学的研究方法

实验室管理学的研究方法依据研究方向、目的不同呈现多样性，一般采用历史研究法、比较研究法、分类研究法、导向研究法、定位研究法等，从检测实验室的社会作用和发展方向分析，检测实验室属于社会分工中的服务业，其战略研究和运营管理是实验室管理的两个重要内容，因此决定了实验室管理学的研究方法应主要采取定位研究、导向研究、比较研究的综合方法。本书在明确实验室战略发展方向的前提下，遵循服务业"过程

既是产品"的指导思想，阐述"过程"管理的一般性和特殊性，通过"流程"控制及协调各个"过程"之间的相互关系，发挥实验室资源效率；在客户需求与运营效果比较的前提下，遵循市场导向和技术导向的思维，体现检测实验室技术服务机构的特点，通过实验室体系的不断改进和卓有成效的运营管理实现实验室发展的良性循环。

第二节　实验室管理战略思维

一、实验室"产品"识别

按照"产品"的定义，产品是"一组将输入转化为输出的相互关联或相互作用的活动"的结果，即"产品"是"过程"的结果。软件、硬件、流程性材料和服务都可称为"产品"。与硬件产品不同的是，在服务行业，服务产品不仅是过程的结果，还包括过程本身，即实验室产品是多个要素的组合。

任何服务都伴随着支持性设施及服务辅助物品的使用。从服务的角度看，不同服务行业的区别仅仅是支持性设施及服务辅助物品使用费用所占整体服务费用的比例不同。本质上，检测实验室属于技术服务行业，顾客理所当然地关注实验室产品的技术可靠性，但顾客对"服务"的感知是由更广泛的因素构成的，同样也关注检测的周期、样品交接和报告传递的便利性、为客户保密性、检测前后为客户提供的技术咨询等，还会在意交往中实验室的态度（希望被重视）。也就是说，像检测实验室这样的技术服务机构，客户感知的服务质量，不仅仅从"最终产品"中体验到，还与相关服务过程、环节有关，这就是"服务包"：构成产品的诸多要素集合。

相对于硬件产品，由于服务的无形性，给管理者识别产品带来挑战。现代市场营销管理中将产品扩展定义为"组合产品"，认为推向市场的产品是由与传统产品有关的要素组成的，包括实物、服务、人员、地点、组织和观念等，"组合产品"的概念明晰了经营管理者的营销方向、目标和与顾客的契合点。在服务行业，"组合产品"即是过程结果，"服务包"即是管理过程要素集合，一般由四个要素组成：①支持性设施。在提供服务前必须到位的物质资源。例如实验室用房、检测仪器设备等。②辅助物品。顾客购买或消费的物质产品。例如实验室检测使用的化学试剂、玻璃仪器、记录、检测报告等耗材。③显性服务。可以用感官觉察到的和构成基本特性或本质特性的利益。例如检测周期，检测结果明确、可靠等。④隐性服务。顾客能模糊感到服务带来的精神上的收获，或服务的非本质特性。例如为客户保密、愉悦的交流、事前咨询、预约服务等。

二、检测实验室服务特征及管理学意义

实验室是服务性组织。服务业是现代经济的一个重要产业，服务业是相对于生产业而言的。服务业与其他产业部门的基本区别是，服务业生产的是服务产品，服务产品与其他产业产品相比，具有非实物性、不可储存性和生产与消费同时性等特征。服务产品一般包含有一定比重的服务，同时包含一定比重的有形物品，这决定于特定服务类型。

（一）服务分类

了解服务业的分类有助于认识实验室服务的特征，遵循、把握实验室服务的规律。在我国，服务业视同为第三产业，包括除了农业、工业、建筑业之外的所有其他 15 个产业部门。将第三产业分为四个层次：第一层次是流通部门，包括交通运输业、邮电通信业、商业饮食业、物资供销和仓储业；第二个层次是为生产和生活服务的部门，包括金融业、保险业、公用事业、居民服务业、旅游业、咨询信息服务业和各类技术服务业等；第三个层次是为提高科学文化水平和居民素质服务的部门，包括教育、文化、广播电视事业，科研事业，生活福利事业等；第四个层次是为社会公共需要服务的部门，包括国家机关、社会团体以及军队和警察等。

美国学者罗杰·施米诺根据影响服务传递过程性质的两个主要维度（垂直维度衡量劳动力密集程度，即劳动力成本与资本成本的比率；水平维度衡量与客户之间的相互作用及定制程度），用服务过程矩阵对服务进行了分类。

美国学者菲利普·科特勒按照服务在产品中所占的比重，将市场上的产品分成五种：①纯粹有形产品；②附加服务的有形产品；③混合物；④主要是服务附带少量产品；⑤纯粹的服务。

对于服务业来说，客户购买服务的过程往往带有一定的体验或交互，而交互的过程不仅仅是"产品"销售的"导购"过程，还带有咨询、交流、识别客户需求的成分，但服务供需双方人员之间的交互不可能有具体的、标准化的内容范围，交互的内容可能是开放的。虽然检测实验室是技术专业性非常强的服务机构，但从客户的角度看，实验室机构人员与客户的交互并无特殊之处，实验室不能以专业化特征弱化服务特征。交互活动必须被检测实验室视为对外沟通/交流的重要方式。

（二）检测实验室服务特征

检测技术服务是一种技术密集型、顾客定制性较强的工作，既不同于一般的生产部门，也有别于饭店、宾馆这样相对标准化、大众化的服务部门。检测实验室的技术服务既

具有服务业的基本特征，又有其固有的特征。

1. 服务的生产与消费同时发生

按照"服务包"的概念分析，检测实验室的服务成本由两部分构成，检测数据、报告的产生过程中水、电、耗材、检测设备的使用、消耗导致的消费成本和利用科学原理、检测项目特性将技术转化成服务的服务成本两部分，两种成本同时发生，难以在时间上分割。这一特性有别于硬件或流程性产品的生产、储存、销售（服务）的过程，检测技术服务不存在产品储存、缓冲的环节。

2. 服务的无形性

产品是物品，一般是有形的；服务主要是观点、概念支配下的感受，因此服务的创新没有专利，服务产品的"仿制"不受保护；客户在多家服务机构的选择之前，几乎无法在同一专业类别、相同规模、相近档次机构间通过比较某技术参数、外形、规格等因素进行服务的"选择判断"，即服务的无形性。

3. 服务的异质性

服务无形性及服务过程中与顾客的交互导致服务的非标准化，不同顾客对"服务"的理解也是不相同的，由此导致服务的差异性。在检测实验室这样的高技术行业，顾客的不同需求的实现，最主要的是通过具有专业技术知识、能力的员工完成的；顾客与员工的交互为员工了解顾客期望、积累工作经验提供了机会，但这种机会对前、后台人员不是均等的，因此可能导致"服务质量"波动。

三、实验室运营管理与战略思维

实验室管理一般是多目标管理，重要的管理目标之一是市场占有率，即在管理中遵循市场规律、参与市场竞争、借助竞争动力推动实验室的发展与进步。毋庸置疑，检测实验室的检测能力、技术水平对实验室的发展有举足轻重的作用，但如果从市场角度看，顾客感知是决定"服务满意"的关键因素。大多数顾客不一定是检测技术专家，让顾客仅从技术能力方面感知服务的路径太长太长，而且由于检测实验室的顾客接触一般并不在检测层面，要真正促使顾客成为"忠诚顾客群"，必须有效地把"服务包"要素与服务质量标准结合，把前台的"周到服务"与后台的"能力保证"相结合，才能造就卓越服务质量，并真正赢得顾客。

（一）服务质量

由于服务与生产同时完成，因此对检测实验室质量评价是在服务传递过程中进行的。每一次的顾客接触都是一个使顾客满意或者不满意的机会。站在客观的角度，顾客对服务质量的满意可以定义为：将对接受服务的感知与对服务的期望相比较获得的感受。如果把服务质量分为五个方面——可靠性、响应性、保证性、移情性和有形性，顾客会借助"检测机构口碑、顾客个人需要、过去对检测实验室的认识"等三个因素对上述构成质量的五个方面进行评价，然后做出综合性的感知判断：当感知超过期望时，服务被认为具有特别质量，顾客会感到高兴和惊讶；但没有达到期望时，服务注定是不可接受的，是服务失败；当期望与感知一致时，质量是令人满意的。

可靠性：可靠地、准确地履行服务承诺的能力。可靠的服务是顾客所期望的，意味着以相同的方式、无差错地准时完成。

响应性：指帮助顾客并迅速提供服务的愿望。让顾客等待，特别是无原因的等待，会对质量感知造成不必要的消极影响。出现服务失败时，迅速解决问题会给质量感知带来积极影响。

保证性：指员工表达出的自信与可信的知识、礼节和能力。保证性包括如下特征：完成服务的能力，对顾客的礼貌和尊敬，与顾客有效地沟通，将顾客最关心的事放在心上的态度。

移情性（亲和性）：设身处地地为顾客着想和对顾客给予特别的关注。移情性有下列特点：接近顾客的能力，敏感性和努力地理解顾客需求。

有形性：指有形的设施、设备、人员和环境的外表。有形的环境条件是服务人员对顾客更细致地照顾和关心的有形表现。

（二）实验室发展与运行管理战略

系统管理学理论说明，一个检测机构诞生之后，一般都要经历起步—原始发展—走入正轨—快速发展—成熟期稳定发展几个过程阶段。每一个实验室发展过程都受到行业大环境状况的影响。实践证明，检测实验室发展的影响因素主要取决于中观和微观环境（内部机制）。实验室管理必须考虑到实验室不同发展时期的基本特征，遵循、适应实验室固有的发展规律，多从战略方面考虑实验室适应社会、环境、市场、客户的需要，才能保证实验室运行平稳、健康、稳步发展。实验室管理战略的实现过程，实际是实验室适应环境变化的过程。

1. 实验室环境影响战略

从"社会运行"的角度，系统研究实验室的社会定位问题，提出环境因素对实验室的影响，认为具有科研、公共服务、技术支持职能的实验室，无论是具体的研究与发展活动还是实验室的内部运行，都是一种社会运行，都受到社会宏观环境、实验室所处的中观环境和实验室内部微观环境的影响，而且，不同层次环境因素的影响不是等价的。

"环境层次影响论"道出了实验室管理应遵循的本质规律，即实验室的"创新"是实验室发展的灵魂，包括管理体制、运行机制的创新。实验室的发展时刻受到环境因素影响，工业实验室如此，检测实验室也是如此，因为客户需要不是永恒不变的，但实验室要持续满足客户要求，就必须有技术能力、管理上的创新，就要有能力把客户要求及时转化为检测、服务能力。总体上看，对于实验室的建设和发展，宏观环境的营造主要依赖于政府和社会，此因素具有导向、制约、规制的作用；中观环境和微观环境则对实验室发展方向、具体运行过程产生直接的影响，因此同处于特定社会背景下的不同实验室，其发展程度不同、运行效果各异，其中发展战略主要取决于实验室或其所在组织自身的体制和机制，取决于管理者战略思维和管理指导思想。适应环境并建立满足实验室发展要求的实验室工作机制，才可能实施有效的实验室管理。

2. 实验室阶段特征与发展

总览实验室发展的影响因素，如果从实验室发展的市场战略角度考虑，实验室发展战略实质上是实验室的市场竞争力问题。在市场经济体制下，实验室管理要面向市场需要，抓住了市场就赢得了顾客，实验室管理抓住了实验室市场化战略问题，就抓住了实验室发展战略问题。其他影响因素可以归结为实验室"服务包"对实验室市场竞争力的影响，也即对客户的影响。遵循服务机构成长规律，系统描述阶段特征和相关要素在不同阶段的表现，说明了机构战略性发展过程中各项业务扮演的不同角色，还为测量、评估机构在服务传递系统发展方面的进展提供了一种方法。

（1）可以提供服务阶段

实验室业务运作看作是在成本最小化基础上进行的必要的痛苦试验，顾客对此毫无选择的余地，因此服务机构不会有寻求质量提高的动力。管理者的职责是督导，且仅仅是出于"绩效"的考虑。这样的机构基本上是非竞争性的，政府部门基本被归入此类。除非面临竞争的挑战，否则会永远处于这一阶段。

（2）学徒期

当服务机构在第一阶段庇护下遇到竞争时，就不得不重新评估其服务系统存在的问题，并且为避免市场份额的巨大损失，也不得不遵循行业惯例保持与竞争者雷同的运行方式，形成形似神不似、毫无特色的"竞争"。出于市场的需要，可能会在一些领域有"管理创新"，但不会关注作业方式对竞争的潜在贡献，因此不会形成机制上的变化和流程"再造"，保持"规范"和一般惯性。

（3）获得出众的能力

此阶段的管理者具有了解顾客需求的能力，并敏感地将不同顾客的差异化需求逻辑、系统化，转化为改进管理和服务的动力源泉。管理者会采用各种方式动员一线管理层和员工，理解、认同改进的必要性，并恰当地找到问题的关键症结并作为改进的切入点，围绕市场竞争培训员工，通过倡导流程再造、引进先进手段以提高效率、能力等方式实施管理战略，形成明显的管理特色的竞争力。

（4）提供世界一流服务

世界一流的企业不局限于满足顾客要求，还会在理解顾客需求的前提下，用艺术、技术的手段指导顾客提出新的需求并满足之，在创造新的商业机会的同时，提高机构在顾客心中的地位。经常利用新技术降低服务成本，在竞争中取得绝对的优势。这样的机构不仅其运作保持高效率，为顾客提供便利、及时服务，而且其员工因此受到激励，对组织使命、信誉有较高的认同感，形成了具有学习、创新动力的团队。

客观上，服务机构的起步不一定从第一阶段开始，但在正常的生命周期，缺乏与环境因素相适应的、科学的管理战略，可能会无意识地返回到第一阶段。

3. 服务竞争战略

任何机构想要健康发展，必须根据不同的发展阶段状况，明确发展方向，选择、实施适宜的发展战略。当代竞争战略之父、哈佛大学教授迈克尔·波特先生提出成本领先、差别化、专注化"三种竞争战略"的理论观点，并在一些企业运用成功。在检测实验室领域，管理者应根据机构的实际情况，决定战略思想采用的程度。多数情况下，检测机构处于最初两个阶段时，基本的运行体系框架尚未定型，或处于"饥不择食"的温饱时期，实际上根本无所谓"战略"选择。只有机构发展到由"学徒期"到"获得出众能力"的扩展时期，实验室战略思维就成为实验室管理的重要内容。

实验室管理实践中，成本领先战略是运用得最多的，其最突出的表现是以所谓的低成本压低价格，快速赢得部分市场。但成本领先战略的最大弊端是不会形成核心竞争力，往往仅能提供处于产业价值链中附加值较低的"低端"产品（服务），其主要的风险是被模仿，与其他机构形成同质化的无奈竞争，打消耗战并丧失创新的机会。

（三）与客户合作共赢战略

检测实验室本质上属于技术机构，但实施战略管理就必须跳出纯粹技术机构的体制并树立市场观念，冷静认识、理性思考社会检测市场对检测实验室的要求，并用实验室发展的战略视野审视传统管理思维、工作行为，通过组织人员认同的组织文化，构建、管理、再造能够适应市场要求的工作流程。特别指出的是，无论是地域相同、规模相当，还是专业相近、阶段同步，实验室运行和发展模式都不能照搬，"学习"即是"借鉴"和启发，除非是同一个管理者，任何两个实验室都不可能同走一条道路。实验室之间的区别、内部机制，以及符合实验室实际的发展战略，仅可以用实践证实，不可以用语言表达清楚，检测实验室的内涵，也只有"经营"实验室的高层管理者心知肚明。

1. 市场对检测实验室的要求

相对于计划经济和行政行为，市场观念对检测实验室提出了新的要求，主要体现在效率、协商性、平等和方便性，突出了市场经济竞争、信誉、高效要求与实验室成本、利益、风险之间的关系。

（1）市场要求实验室的政策是透明的。实验室的质量方针、技术能力、检测方法、收费价格、检测周期等都应是可查阅、可商议，而且是客户选择实验室的重要因素。现代通信技术的广泛使用，进一步加剧了实验室信息公开的紧迫性，甚至于通过悄无声息的网上操作，就可以对检测机构进行比较、判断、选择。

（2）市场要求高信誉度的实验室。实验室信誉度表现在多个方面。目前我国实验室管理逐步规范，一定是按照有关要求，持续参加国际/国内权威机构组织的能力验证，并取得满意结果的。同时，实验室人力资源的技术水平、参与处置突发事件、国际技术交流、同行业排序、区域知名度等历史表现也是表征实验室信誉度的重要衡量因素。

（3）市场要求实验室的工作效率。尽管并非所有实验室承担的都是过程检验，社会实验室也不是完全的"工业实验室"的炉前分析，但"时间就是金钱、效率就是生命"则是市场经济的真实写照。在技术条件允许的情况下，客户考虑效率的因素远大于考虑成本的因素，因此会出现客户要求的加钱加快现象。

（4）市场要求实验室能够千方百计满足客户的各种要求。客户的要求是变化的，因此客户实验室满足其需求的能力也是变化的，最好的情况是实验室能够超越客户需求、提前预知客户的需求、持续满足客户明确的和隐含的需求，切实为客户着想，为客户提供全方位的服务和帮助。

2. 检测实验室走向市场的影响因素

检测实验室走向市场的影响因素也是实验室战略要素。在实验室管理实践中，通过与客户座谈，与重点实验室客户接触、交流，对顾客关心的问题进行统计、分析，结合多年来对检测实验室工作的思考，在检测实验室走向市场的进程中，顾客需求和关心的内容是检测实验室适应市场的最重要因素。

经调查，顾客对检测实验室最关心的因素排序：①检测实验室信誉，包括资质、以往的社会反应、检测权威性等；②实验室能力，能满足顾客提出的项目要求（包括要求变化）、实验室质量控制措施、能力验证效果（包括第二方验证）；③检测周期（从收到样品到发送结果的时间）；④服务方便性（样品接送、报告发送、技术咨询）；⑤检测费用。

冷静、审慎并站在顾客的角度思考，不难理解这样的顾客关注点排序。检测实验室顾客对实验室期望的第一因素不是费用，而是实验室适应顾客需求的能力。一个中等规模的检测实验室，每年要出具几万个检测数据，对实验室来讲，一个样品、一组数据、一份报告可能是实验室工作的一小部分，但对于客户，就意味着一份订单、一个市场、企业命运。树立这样的工作理念、组织文化，对于实验室的信誉度提高是必要的。实验室客户大都是企业性质的机构或部门，大家都清楚，利益关系仅是合作关系中的一部分而不是全部，合作中最重要的东西往往不是以利益为标准的，大家都期待在通往市场的道路和进程中，能够找到同舟共济、方向一致的合作伙伴。可见实验室管理战略不仅仅决定实验室自身的发展，而且影响到与之合作客户的存亡。因此，检测实验室通往市场的道路畅通与否，决定的因素是理念和机制——走市场的路，必须遵循市场规律并建立符合市场规律的工作机制。

实验室管理思想随实验室发展的不同时期可能有所变化，但这种变化是实验室多目标管理情况下，不同阶段管理目标排序的影响。传统的检测实验室与市场化的检测实验室的最大差距是工作和管理理念的差距，前者的工作行为存在极大的惰性，工作的动力不明确；后者则受到市场需求的强力导向，市场需求的不断变化拉动了检测实验室不断进步，管理者、工作者在工作中受到锻炼，思想意识、对社会需求的理解持续深化，适应社会的能力不断增强。当然实验室的能力和技术水平不是仅凭关注市场的热情就可以解决的，但实验室检测能力的提升必须有动力和手段，外在的动力就是市场导向，内在的动力主要是实验室机制和人本需求，动力和手段构成实验室发展中的硬实力。这将在后续章节中涉及。

实验室赢得了顾客也就赢得了市场，实验室管理战略也是与顾客共赢的合作战略。

第三节 实验室规划及建设管理

一、实验室建设的基本要求

实验室是区别于一般民用的特殊建筑，这主要是由于实验室设计和建设过程不仅要符合建筑规范，还应系统、全面地考虑实验室工作的技术、管理需求，特别是在实验室主体建筑完成之后难以通过改造实现的技术、管理需求，应事先考虑到。完美的实验室是建筑师与实验室专家完美合奏的交响乐，不仅外形美观、使用方便，而且应功能匹配、建筑内涵丰富，较好体现专业使用意图。实验室建设的目的是要通过建设符合"标准"、发展战略、管理目标要求的实验室，满足检测项目技术需求，这里的"标准"是指"检测项目"需要的设备、环境、项目特性的技术要求。例如，检测食品中的农药残留，需要使用气相色谱质谱联用仪，此设备要求实验室防尘、防震动、相对恒温，其辅助设施和工作过程对环境的要求有供电、排风、供气、供水、防爆的功能，都应在实验室建设中实现。

（一）选址

实验室选址应避开噪声、振动、电磁干扰和其他污染源，如重要的铁路线附近、粉煤灰堆场等。除了实验室自身的技术需要，还应考虑实验室对社会生活的影响，一般实验室选址不宜紧邻居民区，防止力学实验室噪声、化学实验室废气、电器实验室电磁波等因素扰民。

（二）实验区域的划分

对相互干扰的实验室区域要有合理的分区、隔离或缓解措施。如金属材料的检测实验室、拉力等物理实验区域应尽可能远离光谱检测区域和天平室，生物实验室洁净区域与其他区域的隔离，重量负荷大的实验区域还要在建筑设计时考虑建筑区域的承载负荷。为便于实验室管理并满足实验室的环境技术要求，一般情况下，实验室区域与办公区域不宜混杂穿插设置。

（三）现代实验室物流、人流的要求

现代实验室管理越来越强调科学的布局，实验室人流、物流、信息流的有效控制；实验室房间的长度、宽度，实验台摆放的形式，完美的设备与科技工作者操作空间范围的协调搭配体现科学化、人性化的规划设计；实验室内水路、气路、电路应统筹规划、布局，既要考虑工作安全，又要便于安装、检修、使用，特别是要适当考虑实验室的发展要求，在建筑设计时留有余量。

（四）实验室前台、后台设计

实验室前台是指实验室工作人员与顾客接触的场所，后台是指实验室技术实施的场所。从实验室管理和技术要求的角度考虑，一般是后台与前台隔离，非特殊情况，与实验无关人员不可随意进入的技术实施场所。后台设计主要体现技术要求和物流、人流、技术操作的方便，是整个建筑的主体；前台设计主要考虑信息、样品的传递顺畅，照顾顾客与实验室联络方便、接触感受，体现实验室文化特点。

二、实验室建设的基本步骤

一般来说，实验室建设分为规划设计（可行性报告）、建筑设计、建设施工和实验室

功能实现几个阶段。与一般办公、民用建筑不同的是，在规划设计阶段的实验室功能设计和布局设计要结合检测技术要求，在建筑设计之前提出并确定，是建筑设计的依据之一。相对于后几个阶段，功能设计、布局设计更能体现实验室使用、管理者的意图。实践证明，在建筑设计阶段，实验室使用方应与建筑设计单位进行广泛讨论、沟通，明晰技术、功能、布局要求，达成一致意见，并与最后的"实验室功能实现"环节密切关联，才能建成设计科学、布局合理、功能完备、运行顺畅的实验室。

（一）提出建设规划，进行功能设计

可行性研究报告是实验室建设的总体规划。一般需要实验人员、基建人员、设计人员密切配合完成。应明确实验室的定额指标，如人均建筑面积、实验楼的平面系数、实验楼的造价等。

可行性研究报告基本内容包括以下几个方面。

（1）建设项目名称。

（2）建设目的及依据。

（3）建设性质，新建、扩建、改建或迁建。

（4）工艺设计及平面布置设计方案。

（5）建筑设计标准平面设计方案，结构、层数、管网工程布置建议方案。

（6）工艺设备（大中型工艺设备及分析仪器等）简明清单。

（7）建设地点及用地：①用地说明：自有土地及数量、征用土地及数量；②工程项目规划位置，当地规划部门意向性意见（附规划图）；③改扩建工程应附现有建筑物和外线管网现状图；④主管单位及地区政府的意见。

（8）环境保护及治理措施。

（9）抗震、人防等级及使用设想。

（10）建设规模：①总建筑面积、各单项工程的建筑面积；②建筑标准控制每平方米单位造价、累计总造价；③主要工艺设备、大型仪器及辅助装置、累计投资。

（11）环境及配套，水、电、暖、道路等外线工程投资。

（12）工程总投资额、资金筹措。

（13）项目实施进度计划建议。

（二）建筑设计

建设单位在委托建筑设计单位进行设计时，必须先由经验丰富的实验人员担任工艺设计，事先写好各实验室的要求，提交给设计单位。设计单位根据各项具体要求进行综合设

计，并经反复讨论，调查研究，将确定的方案绘制成初步设计图纸和文件提交建设单位报请上级批准，待批准后方可进行施工图的设计。

1. 工艺对土建的一般要求

（1）实验室的名称和面积

如有机实验室、无机实验室及电镜室等。同时注明同一类型实验室所需要的间数及每间实验室的使用面积。

（2）建筑

房间的层次及朝向。对门、窗、墙面、楼地面及顶棚的各种特殊要求。通风柜、实验台的类型、尺寸及常规仪器设备的名称、尺寸的位置布局。对房间的要求（如清洁、洁净、耐火、防噪声等）。

（3）结构

设备荷载及位置，楼面、地面及屋面荷载，是否有放射线实验装置及防爆等特殊要求。由设计单位仔细考虑防护材料的选择及防护墙的厚度，实验楼抗地震等级。

（4）采暖通风

注明采暖方式（蒸汽供暖、空调或热水供暖），房间采暖的温度，自然通风、机械排风还是局部排风。

有恒温、恒湿要求的实验室采用空气调节系统，提出温度、湿度要求，对空气有一定洁净度要求的实验室，则提出洁净等级。

（5）气体管道

根据需要选用气体管道。气体管道分为蒸汽、氧气、真空、压缩空气及城市煤气等。

（6）给排水

①给水：给水方式（城市中自来水或地下水），注明冷水、热水及去离子水等。②排水：实验时排出的水的温度为多少摄氏度。排水中有含酸或含碱的，其浓度为多少，数量为多少。排水中有放射性物质、要注明有多少种物质，其浓度为多少。

（7）电

①照明。一般工作照明，还有安全照明、事故照明（指万一发生危险情况时需要的照明）。②强电。工艺设备用电量（kW），供电电压（V）；插座（有单向和三相插座）的电流及插座位置。③弱电。电话机、网线的设置，特殊实验室的对讲机及警铃设置，电视天线插座。④防雷要清楚建设地点的雷击情况，提出防雷要求。

此外，建设单位还必须向设计单位提供地基钻探资料，以便根据钻探资料进行基础设计。

2. 结构与载荷结构布置与实验室建筑模数密切相关

实验室的结构形式经常采用的有两种，即承重砖墙与钢筋混凝土梁板结构、钢筋混凝土框架结构。

承重砖墙与钢筋混凝土梁板结构（简称混合结构）形式，适用于 1~5 层实验室。这种结构形式造价较低、施工较快，一般实验室常采用这种形式。

钢筋混凝土框架结构（简称框架结构），这种结构形式适用于五层以上的实验室，但根据实验室的性质，如跨度大、层高高的实验室，框架结构也用于 1~5 层的实验室。

框架结构可分为横向框架、纵向框架以及双向（纵横向）框架三大类型。横向框架刚度较好，适用于分间比较固定的实验室。开间柱距为 6.6m 时，则双开间实验室就可避免在平顶下出现梁的情况，在操作尺度上也可满足。对单开间来讲，其开间尺寸为 3.3m，也可为使用人员所接受。纵向框架的横向刚度较差，须在横向设置抗风墙、剪力墙，由于横向布置连系梁高度较小，房间净空可得到较好的利用。但由于纵向梁高度较深，使走廊吊平顶与梁底的距离较小，所以要考虑管线向实验室引进的间距和方式。双向承重框架的梁柱采用纵横均为刚性的连接，房屋整体刚度好，适用于地震区。

3. 实验室单元（模数）

建筑设计中，为了实现工业化大规模生产，使不同材料、不同形式和不同制造方法的建筑构配件、组合件具有一定的通用性和互换性，统一选定的协调建筑尺度的增值单位，提出了建筑模数概念。建筑模数是指选定的尺寸单位，作为尺度协调中的增值单位，也是建筑设计、建筑施工、建筑材料与制品、建筑设备、建筑组合件等各部门进行尺度协调的基础，其目的是使构配件安装吻合，并有互换性。国内外实验室建设积累了丰富经验，特别是把实验室空间需要、科学使用与建筑设计理念融合，引入实验室建设"单元或模数"的概念，根据需要，一个实验室的面积可以是二分之一标准单元面积的整数倍。实验室标准单元组合设计与通风柜、实验台及实验仪器设备的布置、结构、选型以及管道空间布置紧密结合，为实验室科学设计、建设提供了参考依据，也为实验室空间有效利用奠定了基础。

我国实验室建设综合考虑实验室布局要求、建筑预制件尺寸、门窗标准尺寸等因素，实验室一般采用 3.0m、3.3m、3.6m 三种开间模数。理由是化学、物理、生物实验室的中央实验台宽度为 1.2~1.8m，设有工程管网的该类实验台宽度不小于 1.4m，靠墙侧式边实验台的宽度为 0.6~0.9m，设有工程管网的靠墙侧式边实验台宽度不小于 0.75m，两个实验台之间的距离为 1.2~1.8m。这样的开间均能满足上述的需要。开间模数与工业化生产紧密结合起来，考虑结构配件的互换性，有利于预制品构件的大量生产，与多层工业建筑 6.0m 柱距相结合，与民用建筑中多采用 3.3m 的开间模数相结合。与统一的标准窗扇采用

0.3m 为倍数的尺度相结合。

考虑到实验台、通风柜长度、布局方式、实验室采光、通风方式等因素，房间进深一般在 6.0~9.0m，即 6.0m、7.0m、8.0m、9.0m 四种进深，基本上能满足化学实验室、生物实验室及物理实验室的要求。

（1）层高

层高是指楼板面到另一层楼板面的高度。净高是指楼板面至另一层楼板底面（或吊平顶面）的距离。实验室的层高主要取决于实验室的类型。空调系统管道、化学实验室的通风柜管道等所占用的空间对确定层高影响较大。一般化学实验室、生物及物理实验室的层高，建议层高为 3.6~3.9m，放射化学实验室由于通风柜上安装了过滤器，层高应相应增高。

底层的层高一般要求高些，因为要考虑放置较大型的仪器设备等。一般为 3.9~4.2m。对于电镜室、精密仪器室等需要做木地板和吊平顶者，要满足这些设备的安装和使用要求，就必须另定合适的层高尺寸。

计算机房内电缆较多，需要设置地缆沟或架空地板，架空地板的高度一般采用 0.4m，地板下面的空间可以作为回风道。计算机机房净高一般采用 2.4~3.0m。

由于洁净实验室节约空调体积以及采用人工照明的原因，洁净实验室的净高一般采用 2.5m 左右。

有些特殊实验室的层高，应根据工艺要求确定。

（2）进深

实验室的进深尺寸关系到实验台的长度、实验室的面积、采光通风、结构布置等，一般为 6~7m，有的进深达 8m。目前我国一般实验室大多数为自然采光，要求一定的开窗面积，所以进深不宜太大。

实验室的进深尺寸还与结构布置方案有密切关系，当呈横向承重的结构形式时，采用 5.6~7.2m 的尺寸比较普遍。采用纵向承重结构时，往往采用 6.0m。采用框架结构形式时，进深一般在 6~7m。

（3）门窗

①门

一般实验室 1m 宽的门可以满足人员出入和大多数器材、设备、冰箱、烘箱等搬动的要求。为了偶然发生的情况，有时也采用 1.2m 宽不等扇的双扇门，平时关上小的一扇，人员由大门出入。实验室的门除有特殊要求外，最好在门上设一玻璃观察窗，以便值班人员进行安全观察。

实验室的门一般向内开。但有危险性的如石油，有机、高压及有防爆要求的实验室门应向外开。

实验室的门一般为木门。有特殊功能要求时，如实验室要求安静而设置的隔声门、冷藏室的保温门、防止电磁场干扰的屏蔽门以及有防尘要求而设置的密闭门等，由于功能不同，材质也不同。

由 1/2 个标准单元组成的实验室的门洞宽度不应小于 1.0m，高度不应小于 2.10m；由一个及以上标准单元组成的实验室的门洞宽度不应小于 1.2m，高度不应小于 2.10m。大型仪器室等有特殊要求的房间门洞尺寸应按具体情况确定。

②窗

在可以尽量利用自然采光的情况下，窗的高度不妨大一点。设置采暖及空气调节的实验室，在满足采光要求的前提下应减少外窗面积，设置空气调节的实验室外窗应具有良好的密闭性及隔热性，且宜设不少于 1/3 窗面积的可开启窗扇。使用天然采光房间窗地面积比不应小于 1∶6。

（三）布局设计

对于针对实验室流程的实验室布局设计，由于每个实验室的工作性质不同，无法建立一个统一的实验室通用的设计方案，但应考虑实验室布局的原则性、科学性和灵活性。

1. 实验室功能区划分

合理划分出相对独立的区域，以便于实现总体功能，达到安全、合理、科学、方便、节能的基本要求。原则上，实验室的办公区域与实验操作区域应有明显的分区。

一般情况下，同类实验室组合在一起；工程管网较多的实验室组合在一起；有隔振要求的实验室组合在一起，一般宜设于底层；有洁净要求的实验室组合在一起；有防辐射要求的实验室组合在一起；有毒性物质产生的实验室组合在一起。办公室、会议室、阅览室、资料室、更衣室等辅助区域集中设置。

实验室排风往往通过竖井实现，竖井会导致相关实验室布局变化。为避免通风竖井的不利影响，需要排风的实验室可进行纵向排列。各楼层同一位置的实验室共用竖井，不仅避免了竖井对实验室空间的影响，而且由于一般有排风要求的实验室需要与仪器设备实验室配合使用，前处理室与仪器室处在同一层楼内还方便了使用。

2. 实验室布局设计

重点考虑关键部位，特别是必须在实验室建筑设计及建设中完成，而不能事后弥补的公用部分。如特殊环境要求的样品室、通风管道井的预留、仪器设备接地、货梯及样品传递梯、中央空调占用层高、水电气的管道出口、分管道位置等特殊要求，并考虑相容性、方便性、配套性、施工可行性和检测流程要求等因素。

随着人们对实验室布局灵活性、便利性、科学性的要求，近年在国外出现了实验室"模块"的概念和实践，并对实验室布局设计产生深刻影响。模块概念对实验室设计影响的关键是管道出口（水、电、气、真空系统等）的灵活性和相关实验室分区的协调性，适应实验台的移动和实验室布局的变化，保证实验室必须能够在侧墙、顶棚或地板（管道沟）上进行方便的连接或断开，协调的实验室分区便于形成科学、高效的工作流程。

由于建筑总高度的限制，高层建筑实验室气源钢瓶室必须进入实验楼时，钢瓶室墙壁须专门设计、施工，除朝向建筑外部的一侧墙壁外，其他五面墙壁及门应加固设计、施工，使其具有一定防爆级别，向外的一侧墙壁则应在满足防风、保温、防雨等一般要求的基础上，适当降低防爆级别，并加装防护网。须设计配备防暴灯、防爆开关、防气体渗漏报警装置以及视频监控装置。

3. 特殊实验室设计与布局

生物学实验室等，其设计总体上应按《微生物和生物医学实验室生物安全通用准则》的要求。基因扩增实验室应有充分的空间和按标准要求进行设计与布局，以避免实验室的污染。通常将微生物实验室划分成清洁区、半污染区、污染区。在污染区应使用生物安全柜，以保护工作人员的健康。现代微生物学实验室还必须具备空气调节和过滤的设备。开放型放射性同位素实验室的工艺设计、通风设计、给排水设计、辐射屏蔽设计、辐射监测设计及放射性三废处理等应符合现行的《开放型放射性物质实验室辐射防护设计规范》。

三、实验室功能实现（后装修）

实验室功能实现，是指对毛坯建筑进行装修、内部建设，实现实验室环境技术要求的过程。一般情况下，通用实验室功能实现主要通过设施改造、配置环境控制设备等手段完成，实验室环境要求依靠设定技术参数，并通过控制技术参数使要求得到满足。不同用途的实验室，技术参数要求是不一样的，应根据具体情况予以明确并实现，以满足检测标准的技术要求。有特殊技术条件限制的实验室，例如纺织品检测实验室、纸张检测实验室需要恒温恒湿要求，生物实验室对洁净度、内外压差的要求等。这样的实验室建设需要建筑设施完成后，使用专门的施工队伍完成后续施工，按专业标准验收。

实验室环境必须满足检测技术标准的要求。一般而言，检测技术标准都会对实验室环境提出明确要求，没有明确要求时则表示通用实验室条件不会造成对检测结果的显著影响。通常情况下，应控制对实验室检测结果、工作效率、环境状况、工作安全有影响的技术参数。

（一）温度、湿度

检测实验室温度应在 $20\pm5℃$，相对湿度保持在 $50\%\sim70\%$。由于实验室使用仪器设备种类较多，仪器设备对实验室环境要求差异较大，不同纬度区域的气候差别较大，实验室温湿度控制方式不尽相同。随着多种节能、绿色、循环等技术的应用，实验室温湿度控制方式的选择越来越宽泛。

1. 一般规定

实验室采暖、通风、空气调节和制冷设计应符合相关建筑设计规范的规定，宜系统考虑实验室温度控制、通风控制的要求。

对于建筑楼内同时存在办公区、实验区，实验区拥有不同类型实验室时，一般不宜采用集中型空调系统，推荐采用局部集中性空调系统，以保证实现对不同温度要求的实验室区域控制。

2. 采暖

采暖地区通用实验室的冬季采暖，室内计算温度应为18~20℃，采暖系统宜按南北朝向分开环路设置，采暖系统的散热器宜按每个自然开间的采暖热负荷进行设置，采暖系统的散热器其散热量宜有调节的可能性。

3. 通风或空气调节

累年最热月平均温度高于或等于22℃地区的通用实验室，当利用自然通风不能满足要求时，可设置机械通风系统。累年最热月平均温度高于或等于28℃地区的通用实验室宜设置空气调节系统，夏季空气调节室内计算参数为温度26~28℃、相对湿度小于65%，特殊实验室的空气调节室内计算参数应按技术要求确定。

（二）给水与排水

1. 供水

（1）检测用水

作为溶剂使用，供各种试验器皿洗涤、检测过程用水。

（2）辅助用水

供试验设备、辅助设施的冷却用水，设备洗刷用水以及为纯水制备提供水源等。

（3）消防用水

供室内消火栓和特殊消防设备用水。

2. 纯水

自来水是将天然水经过初步净化处理制得的，自来水中含有各种盐类、有机物、颗粒物质和微生物等各种杂质，因此只能用于初步洗涤仪器、做冷却或加热浴用水等，不能用于检测工作。为此，需要将水纯化。实验室用水是针对除去水中干扰物质的目的设计的。如一般的化学分析，要求除去的杂质是阳离子和阴离子，不对细菌和病毒等做过高的限制。

（1）纯水的质量和标准

理论纯水是很难达到的，经过处理净化后的纯水中仍含有微量杂质，主要分为四类：一是无机物，二是有机物，三是微生物，四是溶解气体。

纯水中的这些杂质对分析技术并非都有影响，不同的分析方法、分析对象、分析质量对纯水的要求也不相同。为使纯水适应分析化学等领域中各种不同用途，必须提高和控制纯水的纯净度，采用统一的纯水质量标准加以控制。国际标准化组织（ISO）于1983年制定纯水标准，将纯水分为三个级别。国内参照 ISO 纯水标准制定我国的纯水标准。美国材料试验学会（ASTM）纯水标准将纯水分为四个等级。

我国国家标准《分析实验室用水规格和试验方法》（GB 6682—2008）将适用于化学分析和无机痕量分析等试验用水分为三个级别：一级水、二级水和三级水。

（2）纯水制备技术

①蒸馏法

蒸馏法制备纯水是根据水与杂质的不同沸点，用蒸馏器进行蒸馏而得到纯水。为了提高蒸馏水的纯度，应当增加蒸馏次数，减小蒸馏速度，采用高纯材料（例如石英）蒸馏器，勤清洗蒸馏器。实验室中经常使用二次水、三次水、四次水（因蒸馏或离子交换二次、三次、四次而得名）。但无限制地增加蒸馏次数并不能保证纯度的进一步提高，因为空气及灰尘的污染、容器材料的污染限制了纯度的进一步提高。为了避免低沸点杂质随水蒸气带出来，经常用加入试剂的方法抑制这些杂质的挥发，例如，加入甘露醇抑制硼的挥发等。

②电渗析法

当把离子交换膜置于电场中，水在膜间空隙流过时，由于离子膜具有只选择性地通过离子的能力，阳离子膜只能通过阳离子，阴离子膜只能通过阴离子，从而分别有选择地减少和除去水中的离子杂质，这种方法就是离子交换膜电渗析脱盐法。

③超过滤法

超过滤法又称精密过滤法，由渗透膜元件发展成过滤工具，其除亚微粒、胶体、细菌和多种有机物的能力很高，这种薄膜过滤器可用于主处理，也可用于多工序系统中的超纯化工作。超滤器的主要部件是渗透膜，它能够分离胶体和大分子。因为超过滤所克服的渗透压是微不足道的，所以采用 $2\sim5Pa$ 的低压。

④离子交换法

离子交换法是广泛应用的纯水制备方法。当水流过装有离子交换树脂的交换器时，水中的杂质离子被离子交换树脂截留。

用离子交换法制取的纯水也叫"去离子水"或"无离子水"。严格来说，绝对纯净的水是没有的，因此叫作"去离子水"比较合适。离子交换法制取的纯水电导率很低，但它的局限性是不能去除非电解质、胶体物质、非离子化的有机物和溶解的空气。另外，树脂本身也会溶解出少量的有机物。但在一般的化学分析工作中，离子交换制取的纯水是完全能满足需要的。

⑤高纯水净化系统

现代高纯水制备技术已发展为工业化的净化系统，已有商品化高纯水成套设备，以适应和满足高纯物质痕量元素分析测试。

实践证明，采用现代化纯水净化联合装置，不仅可以提高纯水质量，水质稳定，可以生产电阻率高达 $18m\Omega \cdot cm$ 的高纯水，而且节约离子交换树脂再生费用，减少酸碱污染，改善微孔滤膜堵塞现象，延长使用寿命。虽然净化联合装置设备费用比单纯的离子交换装置要高，但是长期使用后，由于节约大量离子交换树脂的再生费用和提高微孔滤膜的使用寿命，特别对高纯度中痕量分析和电子工业来说，设备费用完全可以补偿。当然应当根据需要，考虑到用水量，选用适宜的设备。

随着科学技术的进步，不断问世的超纯水器，广泛用于原子吸收光谱仪、紫外可见分光光度计、液相色谱仪等分析仪器，化学制剂的配制，药物开发生产等领域。

（3）水质纯度检验方法

纯水的传输、贮存会发生纯度的改变。例如用高压聚乙烯瓶贮存电阻率为 $13M\Omega \cdot cm$ 的纯水，两周后电阻率便会降到 $1.2M\Omega \cdot cm$，这主要是由于空气中的二氧化碳渗入了容器。贮存在聚四氟乙烯或聚乙烯容器中的纯水，1 个月后某些痕量元素含量增加了 $5 \sim 10$ 倍。用硼硅玻璃瓶贮存纯水时，水中杂质铝、铜、铁、铅、锌的浓度要比聚乙烯瓶或聚丙烯贮存时高得多。纯水在使用过程中应避免一切可能的污染。

通过测量纯水的电阻率或电导率反映出水的纯度。

3. 排水

实验室废水的成分比较复杂，受试验过程所用原料、化学药剂、用水水质、水量、放射性同位素种类及使用后的化学组成等多种因素影响，一般废水可分为三类：含有机物质的废水、含无机物质的废水、含有机物质和无机物质的废水。

废水处理是专业性工程，应委托专业公司承做。

（1）实验室污水的排放。实验室污水按污水性质、成分及污染的程度可设置不同的排水系统，被化学杂质污染，对人体有害有毒物质的污水应设置独立于生活废水的排水管道，废水排入地面水体或城市排水系统时，必须符合国家有关排放要求。

（2）在化学实验室、纯水室等应设置地漏，以便水管破裂，水龙头跑水等能够及时排水，防止实验室被浸泡，危及仪器设备安全。实验室的排水管材一般为铸铁管。室内酸性排水管道地上部分采用硬聚氯乙烯塑料管，埋地部分宜用耐酸陶瓷管。

（三）供电系统

实验室用电主要包括照明电和动力电两大部分。动力电主要用于各类仪器设备的供电，同时还用于为实验室服务的电梯、空调、排风、水泵、送风等方面的电力供应。随着科学的进步，新的实验仪器日新月异，难于准确地估计用电量，提出明确的供电要求。

1. 每一实验室内都要有三相交流电源和单相交流电源，要设置总电源控制开关，当实验室内无人时，应能切断室内电源。

2. 室内固定装置的用电设备，例如烘箱、恒温箱、冰箱等，如果是在实验进行中使用这些设备，而在实验结束时就停止使用的，可连接在该实验室的总电源上；若实验停止后仍须运转的，则应有专用供电电源，不至于因切断实验室的总电源而影响其工作。

3. 每一实验台上都要设置一定数量的电源插座，至少要有一个三相插座，单相插座则可以设 2~4 个。这些插座应有开关控制和保险设备，以防发生短路时影响整个室内的正常供电。插座可设置在实验桌桌面上或桌子边上，但应远离水盆和煤气、氢气等喷嘴口，且不影响桌上实验仪器的放置和操作。

4. 在实验室的四面墙壁上，配合室内实验桌、通风柜、烘箱等的布置，在适当位置要安装多处单相和三相插座，插座一般在踢脚线上部或桌面上部，以使用方便为原则。从墙上任一点到最近插座的距离一般不大于 1.83m。

5. 化学实验室因有腐蚀性气体，配电导线以采用铜芯线较合适。其他实验室则可以采用铝芯导线。敷线方式以穿管暗敷设为主。

6. 一般地说，当实验室正式使用以后，才能确定供电容量需求，因此在对实验室的供电设计中必须在供电容量方面留有余地。对每个实验室应以最大负荷为依据，尽可能考虑到满足该实验室的当前和发展中的负荷要求，以半小时内同时使用的最大负荷总值，作为该实验楼供电总负荷的参考值，以确定选择供电电源或变压器容量的依据。

7. 需要时，尤其在科研实验室中，应设置辅助电力系统（不间断电源或双路供电），以防止实验产品或数据的损失。

（四）实验室的照明

1. 最低照度标准

实验楼内实验室用途各异，对照度的要求也不一样。原则上凡进行精细工作的房间就要求比进行粗糙工作的房间要有较高的照度。要求照度高，就须多装灯具或增大光源的容量，也即要增加建设投资和经常费用（主要是电费）。所以照度标准必须适应国家的经济条件和生活水平。每个国家都结合其具体条件制定了最低照度标准供照明设计之用。

由于墙壁与天棚的反射、灯具在使用中的清洁、光源效率的降低等都影响照度，在实际的照明设计中，总是略高于最低标准。

2. 灯具

实验内部采用的光源，目前常用的是白炽灯和荧光灯，实验室、教室、办公室内以采用荧光灯较合适，因它的发光效率高，发光面积大而眩光小，使用寿命长。它的缺点是当环境温度在10℃以下时启动点燃较难。近年来随着节能意识的增强，市场上有很多节能产品，有完全替代白炽灯和传统荧光灯的趋势。

有爆炸、着火及有腐蚀性气体的场所，须采用防爆密闭式灯具。用于实验室的灯具多采用吸顶灯，这样既可以起到防尘作用，也可以防酸腐蚀作用，同时可以避免光源对眼睛引起的眩光作用。

一般化学和物理实验室，房间面积较大，在实验桌上的平均水平照度，当光源采用白色荧光灯时应在100lx以上。要求灯具布置均匀，灯具最好离开实验桌台面的高度不超过1.8~2.0m。

3. 自然采光

白天在室内工作一般都用自然光。这种采光方法是墙壁上开窗，或在屋顶上设置天窗，且窗玻璃不应带有颜色。自然采光的测量数据是采光系数和自然照度系数。

（五）供气系统

分析实验室用气主要包括两部分：一是为实验室处理和溶解试样提供热源的燃气；二是在分析工作中，某些仪器需要使用各种气体（包括色谱分析的载气），提供某种气氛，处理高纯样品以及制备标准气体等。实验室建设中重要的是考虑气源（钢瓶）室的建设及气体输送管路的敷设规范。

1. 气源室的建设

气瓶必须存放在阴凉、干燥、严禁明火、远离热源的房间。气瓶存放间每小时不少于三次换气的通风措施，一般把气瓶室建在实验楼旁侧，形成独立的气瓶室。当建设高层（三层以上）实验室时，由于管道输送的限制，钢瓶必然进入实验楼，此时钢瓶室须配备防爆灯、防爆开关、防气体渗漏报警装置，墙壁须专门设计、施工，具有一定防爆级别。

2. 气体管路的敷设

实验室气体由实验室外气瓶区域用管路引进。

气体纯度大于或等于99.99%的气体管道宜采用不锈钢管、铜管或无缝钢管，安装在天花板下方，沿墙壁走向。氢气、氧气管道的末端和最高点宜设放空管，放空管应高出层顶2m以上，并应设在防雷保护区内。输送干燥气体的管道宜水平安装，输送潮湿气体的管道应有不小于0.3%的坡度，坡向冷凝液体收集器。氧气管道与其他气体管道可同架敷设，其间距不得小于0.25m，氧气管道应处于除氢气管道外的其他气体管道之上。氢气管道与其他可燃气体管道平行敷设时，其间距不应小于0.50m；交叉敷设时，其间距不应小于0.25m。分层敷设时，氢气管道应位于上方。室内氢气管道不应敷设在地沟内或直接埋地，不得穿过不使用氢气的房间。

气体管道不得和电缆、导电线路同架敷设，管道的连接应采用焊接或法兰连接等形式。氢气管道不得用螺纹连接。高纯气体管道应采用承插焊接。各种气体管道应设置明显标志。

（六）实验室通风、排风系统

一些实验会产生各种有腐蚀性的、有毒的或易爆的气体，有机化学的提取净化过程则会伴随实验过程产生溶剂挥发。这些有害气体如不及时排出室外，就要造成室内空气污染，影响实验人员的健康与安全，影响仪器设备的精度和使用寿命，因此，实验室通风是实验室设计中不可缺少的重要组成部分。

通风设施（包括通风柜、万向抽气罩、桌面通风罩及其进、排风管道、气流控制系统，甚至于空调系统等）涉及实验室通风效果，已成为现代实验室设计、施工的专业领域，研究日渐深刻，技术日渐成熟，推动着实验室通风技术水平的不断提高。大量商业化设计公司的出现，进一步使实验室通风工程简单化、专业化，为保证实验室通风效果拓宽了选择途径。

实验室一般采用局部通风和全室通风相结合的形式。局部排风是在有害物产生后立即就近排出，这种方式能以较小的风量排走大量的有害物，能量省而效果好，是改善现有实验室条件可行和经济的方法，也是适应新实验室通风建设的最好的方式，在实验室中被广泛采用。有些实验不能使用局部排风，或者局部排风满足不了要求时，应该采用全室通风，以保证实验室的卫生环境。

1. 全室通风

化学实验室及有关辅助房间（如药品库、暗室及贮藏室等），由于经常散发有害物，需要及时排除。如果室内不设通风柜，而且又须排除有害物，应进行全室通风。全室通风的方式有自然通风和机械通风。

（1）自然通风

利用室内外的温度差，即室内外空气的密度差而产生的热压，把室内的害气体排至室外的方式。对于依靠窗门让空气任意流动时，称作无组织自然通风；对于依靠一定的进风口和出风竖井，让空气按所要求的方向流动时，称作有组织自然通风。实验室要设计上（排）、下（进）风口。

有组织自然通风常见的做法是，在外墙下部或门的下部装百叶风口，在房间内侧设置通风竖井，室外空气由下部百叶风口进入室内，由房间上部开口处通过竖井排至室外。自然通风由于不用通风机，既不消耗电力，又无噪声干扰，而且昼夜都在换气。但只适用于有害物浓度低的房间，适用于室内温度高于室外空气温度的场合。

（2）机械通风

自然通风满足不了室内换气要求时，应采用机械通风，尤其是危险品库、药品库等，尽管有了自然通风，为了考虑事故通风，也必须采用机械通风。常见的做法是在外墙上安装轴流通风机，但效果较差，主要是因为气流容易形成"短路"，对于进深较大的房间，或者离窗较远的地方更加不利。此外，轴流通风机噪声较大，因此，尽量避免在有窗的外墙上安装轴流通风机。对于散发有腐蚀性气体的房间，如酸库等，不宜使用轴流通风机；对于散发易爆性气体的房间，必须采用防爆通风机。

全室通风的风量，可根据消除室内的有害气体所需要的换气量来确定。

由于室内有害气体量数据往往难以获得，全室通风量可按不同的房间所需的换气次数进行计算。所谓换气次数，就是房间的换气量与房间的体积之比。这个值是根据大量的测定数据综合而成，化学实验室的换气次数取5~10次/时，药品库与危险品库，平时取5次/时，事故通风换气次数取12次/时。

2. 局部通风

实验室局部通风一般包含通风柜排风、万向抽气罩排风、桌面通风罩排风等。在化学实验室中，通风柜排风是必不可少的，万向抽气罩排风、桌面通风罩排风作为实验室局部排风方式也应必选其一。近年在国外实验室中出现了实验台面排风口/天花板进风口组合的局部排风系统，在操作台面和天花板之间的气流均匀，有害气体随气流流动的路径合理（有害气体多在操作台产生，流动时不经过操作人员五官，迅速经桌面排风口排出），多点排风口设计，比万向抽气罩排风设计更科学，在有机化学实验室的排风效果良好。

通风柜的性能，主要取决于通过通风柜空气移动的速度。影响正面速度和空气运动的因素是涡流、柜的入口形状、热载量、机械作用、排气孔设计和阻凝物等。此外，防火能力、耐腐蚀性、是否便于清洗以及污染物进入排气系统前收集某些污染物的能力等性能也是通风柜的重要参数。

（1）通风柜

通风柜是实验室中最常用的一种局部排风设备，种类繁多，由于其结构不同，使用的条件不同，其排风效果也各不相同。

实验室中所采用的通风柜归纳起来有以下几种。

①顶抽式通风柜（定风量技术）

这种通风柜的特点是结构简单、制造方便。对于需要加热的实验，或者实验过程中产生大量热量的，顶抽式通风柜具有良好的排风效果；但当实验过程中不产生热量时，则通风柜操作口处的风速就会很不均匀，近台面处有旋涡，所以，这种形式在没有热量产生的场合效果较差，不宜采用。

②旁通式通风柜（定风量技术）

为保证排风气流速度，通风柜的排风量是按照操作口全开时的截面积计算的，使用非变频风机。当操作口减小时，会使排风气流增大，可能造成对实验的影响。旁通式通风柜在柜门上或下方设置旁通口。当调节门接近关闭时，旁通口开启，一部分空气从旁通口流入柜内，使操作口风速不致太大，而且基本稳定。当实验室考虑由通风柜排除室内空气时，采用这种通风柜比较理想，因为当柜门全闭时并不影响室内的换气量。

③补风式通风柜

这种通风柜是把占总排风量 70% 左右的空气送到操作口，或送到通风柜内，专供排风使用，其余 30% 左右的空气由室内空气补充。供给的空气可根据实验要求来决定是否需要处理（如净化、加热等）。由于补风式通风柜排走室内空气很少，因此对于有空气调节系统的实验室或洁净实验室，使用补风式的通风柜既能节省能量，同时，又不影响室内的气流组织。

④变风量通风柜

所谓变风量通风柜就使排风量随着柜门位置的变化而改变，以保持恒定面风速的通风柜。近年来随着实验室建设力度加大，实验室设施明显得到改善，通风设施受到前所未有的重视，新建实验室大都采用了变风量通风柜，不但保证了实验室通风效果，提高了实验室环境质量，也大大适应了"节能降耗"政策，在节能和通风效果两个方向靠近实验室先进水平。变风量通风柜通常采用变频控制技术，在适当位置安装红外、风感应等传感器，通过系统测量和调整排风量，适应不同状态（有人操作、无人操作等）的面风速，在保证实验室清洁环境前提下，实现了节能；变风量通风柜系统设计考虑了设备使用的参差性，减少了系统设备容量，提高了设备利用率；由于变风量通风柜兼顾了实验室采暖、通风的综合需要，据测算，实验室能耗较使用定风量排风柜降低约 70%，并能够满足法规要求。

（2）实验室内通风柜的平面布置

通风柜在实验室内的位置，对通风效果、室内的气流组织都有很大的影响。通风柜的布置一般有三种方式。

①靠墙布置

这是最常见的布置方式。通风柜通常与管道井或走廊侧墙相接，可以减少排风管的长度，便于隐蔽管道，使室内整洁。装有空调的实验室内的通风柜，一般不宜靠门、窗等空气较流通处布置，最好是布置在室内气流的"死角"，既能避免通风柜操作口处的风速被干扰，又有利于室内换气，使"死角"不死。

在同一个房间内，不宜面对面地布置两个独立风道的通风柜，否则当一个通风柜不工作时，柜内残存的有害气体或有害粉尘便会被对面的通风柜吸出，造成室内空气污染。

②嵌墙布置

两个相邻的房间内，通风柜可分别嵌在隔墙内，排风管道也可布置在墙内。这种布置方式，有利于室内整洁。

③独立布置

在大型实验室内，设置的通风柜应四面均可观看，以适用于实验教学示范，或当实验装置较复杂时，可两面设操作口。这种布置形式只能采用顶抽式通风柜，而且在室内无吊平顶时，其顶部风管势必外露，所以如无必要时应少采用。

此外，对于有空调的实验室或洁净室，通风柜宜布置在气流的下风向，这样既不干扰室内的气流组织，又有利于室内被污染的空气被排走。

（3）通风柜的风速和风机的选用

①通风柜操作口风速

通风柜操作口风速是经济合理地使用通风柜的关键问题之一。对一般的通风柜可通过关闭柜门窗大小或调整台面屏蔽物的位置来减少开启的表面积，以达到较高的抽吸速度。建议对一般无毒的有害物通风柜操作口处设计风速采用 $0.25 \sim 0.38 \mathrm{m/s}$，对有危险的有害物采用 $0.4 \sim 0.5 \mathrm{m/s}$，对极毒物及有少量的放射性有害物采用 $0.5 \sim 0.6 \mathrm{m/s}$。

操作口处的风速不仅取决于实验过程中有害物的性质，也与通风柜的结构形式有关。因此，应尽量选用结构合理的通风柜，使其操作口风速平均值与任何一点的风速之差小于 20% 为宜。

②通风柜通风机的选用

A. 风量的确定

通风机的风量应该按通风柜的排风量及数量计算，并考虑到通风机叶片的损坏、风管及机壳积聚污物等不利因素，把计算得到的排风量再乘以 $1.1 \sim 1.2$。

B. 风压的确定

先计算系统的阻力，再乘以 1.1 左右的余量，以克服使用过程中产生的不利因素。

C. 选型

根据风量风压确定通风机的型号，再根据排出气体的性质，如腐蚀性、毒性、易爆性等，分别选用塑料通风机、普通通风机及防爆通风机等，并且应尽量考虑噪声低、振动小等因素。

3. 排风系统

通风柜的排风系统可分集中式和分散式两种。集中式是把一层楼面或几层楼面的通风柜组成一个系统，或整个实验楼分成一两个系统。它的特点是通风柜少、设备投资省，而且对通风柜的数量稍有增减，以及位置的变更，有一定的适应性。然而由于系统较大，风量不易平衡，尽管每个通风柜上都装有调节阀，但使用不方便，并且也不容易达到预定的效果。如果系统风管损坏需要检修时，整个系统的通风柜就无法使用。所以，原来采用集中式系统的实验室，先后都改用分散式系统。

分散式是把一个通风柜或同房间的几个通风柜组成一个排风系统。它的特点是可根据通风柜的工作需要来启闭通风机，相互不受干扰，容易达到预定的效果，而且比集中式节省能源。分散式由于系统小，排风量也小、阻力也小，所以通风柜的风量、风压都不大，噪声与振动相应也较小。分散式还有一个特点是对排出不同性质的有害气体易于处理。缺点是通风机的数量多、系统多，如果通风机集中在通风机房内，那么投资就会增大；如果通风机分散布置，而且就地安装，虽然通风机的投资增加，但风管的投资可节省，最后总投资不一定增大。

在划分系统时，同一个房间内如有两个以上的通风柜，应划为一个系统，避免一个通风柜在使用，其他的通风柜产生倒流。

排风系统的通风机，一般都装在屋顶上或顶层的通风机房内，这样可不占用使用面积，而且使室内的排风管道处于负压状态，以免由于管道不严密导致有害物质渗入室内。此外，通风机安装在屋顶上或顶层的通风柜房内，检修方便，易于消声和减振。

排风系统有害物质排放高度，应按现行《工业企业设计卫生标准》和《工业"三废"排放标准》执行。在一般情况下，如果附近50m以内没有较高建筑物时，排放高度宜超过建筑物最高处2m以上。

4. 排气罩

在实验室内，由于实验设备装置较大，或者实验操作上的要求，无法在通风柜中进行，但又要排走实验过程中散发的有害物时，可采用排气罩。实验室常用的排气罩，大致有围挡式排气罩、侧吸罩和伞形罩三种形式。

排气罩的排风量计算，取决于以下三个因素：排气罩与有害气体散发点的距离、有害气体散发点的控制风速、排气罩的罩口面积。因此，不同的排气罩，其排风量的计算公式也不同。

排气罩的布置合理与否，直接影响着排气效果。根据排气罩气流速度的衰减特性和有害物的散发情况，排气罩的布置应注意以下几点：

（1）尽量靠近有害物散发源。由排气罩排风量计算公式中看出，排气罩罩口到控制点的距离越近，排风量就越小，也就是说用同样的排风量，距离近的比距离远的排除害物有效果好。

（2）对于有害物的不同的散发情况采用不同的排气罩。如对于光谱仪，一般采用有围挡的排气罩；对于实验台面排风或槽口排风，可采用侧吸罩；对于加热槽，宜采用伞形罩。

（3）排气罩要便于实验操作和设备的维护检修。否则，尽管排气罩设计效果很好，但由于影响实验操作，或者维护检修麻烦，还是不受使用者欢迎，甚至被拆除不用。

5. 某实验室通风柜与变频风量控制系统实例

（1）标准实验室通风柜及风量控制系统的配置

每个实验室配置 1 台风机和 1 个变频器，最多能配置 3 个通风柜，可以任意减少通风柜。

每个通风柜都装有位移传感器，随着玻璃柜门开启（升降）幅度的变化自动调整系统的排风量，以维持通风柜正面的面风速基本不变（风速为 $0.5\pm0.1m/s$）。

当每个通风柜的玻璃柜门都关闭（降到底）时，吊顶排风的电控阀门随即自动开启，通过吊顶上的两个排风口对室内进行整体排风。当任一通风柜的柜门开启时，吊顶排风的电控阀门随即关闭。

当风机电源关闭时，风道有一定的自然排风作用。

（2）通风柜恒风速变频风量控制系统的功能特色

①通过位移传感器直接控制变频器，风道内不装传感器，避免了传感器被腐蚀和污染。

②通过玻璃柜门的升降直接调整风量（未加其他开关），使用方法简捷。

③节能效果好，低强度排风时既可省电，又可减少室内及楼内热量或冷量的损失。

④低强度排风时，室内外噪声变小。

（3）通风柜恒风速变频风量控制系统的基本技术参数

风机额定功率 2 200W，额定风量 6 000m³/hr，全功率运行时大约每 2 分钟即可将室内空气更换一遍。

吊顶排风的风量为 800～1 100m³/hr。大约 10 分钟即可将室内空气更换一遍。

风道自然排风的风量为 0～60m³/hr（与大气风力和室内外温差有关）。

通风柜柜门半开至全开时面风速约为 0.5m/s，柜门开启高度小于 30cm 时面风速约为 1m/s。

（4）通风柜的材质与性能

柜体为全钢型，表面静电喷涂环氧树脂。台面板采用 20mm 厚专用陶瓷板，既耐化学腐蚀又耐高温，周围贴有环氧树脂挡水沿。电插座和灯开关都装在边框外侧，配备 10A 单相五孔和三孔插座，三孔万用插座的小面板拆下后可插圆形插头。柜内装有 1 或 2 个遥控水嘴、1 个环氧树脂小水盆。

（七）实验室安全因素

1. 废气排放

运行中产生有害气体的仪器设备（如原子吸收分光光度计、气相色谱—电子捕获检测器等）应连接有将有害气体排除至室外的导气管道。任何排气烟罩均应有防止倒流的装置，废气管道出口尽量远离实验室人流出口处，以符合有害实验远离主通道的原则。

2. 实验室装修

食品检测实验室装修应考虑到留出便于施工、维修的管、线通道；谨慎选择装饰材料，防止实验室环境因素引起的污染（如石膏板粉渣对微量金属元素检测的影响等）。

3. 防止交叉污染

食品检测实验室布局要充分考虑使用标准物质、阳性检出样品可能产生的影响，防止接触标准物质、大浓度阳性检出样品的玻璃仪器洗刷、再使用引起的污染。

4. 安全设施设计

实验室的设计应满足紧急情况处理的建筑规则，针对各实验室情况配备安全设备。距危险化学试剂 30 米内，应设有紧急洗眼处和淋浴室。所有与污染物直接接触的实验室均应安装洗手池，将洗手池设在出口处。有贵重仪器设备的实验室的隔墙应采用耐火极限不低于 1h 的非燃烧体，易发生火灾爆炸化学品伤害等事故的实验室的门宜向疏散方向开启等。

分析仪器实验室中不宜设置喷淋消防管路，防止误喷淋导致仪器损坏且产生因不恰当处置导致的次生灾害。

5. 接地

实验室工作接地的接地电阻值应按实验仪器设备的具体要求确定，无特殊要求时不宜大于 4Ω，供电电源工作接地及保护接地的接地电阻值不应大于 4Ω，实验室特殊防护接地电阻值按具体要求确定，防雷接地电阻值应符合现行的《建筑防雷设计规范》的规定。

各种接地宜共用一组接地装置，无特殊要求时接地电阻值不宜大于 1Ω。实验室的工作接地与接地装置宜单点连接。使用性质不同的实验室共用一组接地装置时，宜分别引接地线与接地装置连接，由接地装置引入室内的接地干线宜采用绝缘导线电缆穿钢管敷设。实验室保护接地宜采用等电位连接措施。

第六章 检测实验室质量管理体系

第一节 实验室管理体系建设

一、实验室建立管理体系的必要性

质量管理是实验室管理的核心，没有检验检测报告的高质量，就谈不上业务的高水平。在现代生活中，随着社会的发展和人们生活质量的不断提高，大家对产品的性能及质量的期望值也越来越高。一方面需要生产企业不断推出符合社会和人们生活需求的产品，另一方面需要合格的实验室为社会和人们出具准确、可靠、公正、可信的检验检测数据来满足社会的需求。那么实验室向社会提供的数据和结果，能否得到社会各方面的承认和信任，已成为实验室能否适应市场需要，在竞争激烈的检验检测市场上占有一席之地，进而生存与发展的首要问题。如果一个实验室不重视检验检测工作质量，不能及时发现和纠正检验检测工作的问题，影响到工作质量，就会失去竞争力，就会被市场、社会所抛弃。反之，实验室只有重视检验检测工作的质量，保证出具的检验检测数据准确、可靠、可信，经得起"考验"，才会具有竞争力，拥有市场，赢得社会各方面的信赖。

实验室要满足社会对实验数据和结果的质量要求，就必须引入实验室管理体系的概念。为保证实验室结果的高质量，必须对实验全过程以及影响检验检测数据的诸多因素进行全面控制，建立系统的实验室管理体系，认真分析、研究各项要素的相互联系和相互制约关系，以整体优化的要求处理好各项实验活动包括人、机、料、法、环、测的协调和配合，使可能影响结果的各种因素和环节都处于受控状态，将检验检测工作的全过程及质量形成过程中各个活动的相互联系和相互关系加以有效的控制，解决管理体系中的问题，探索和掌握实验室管理体系的运作规律，使管理体系不断完善，适应内外环境，持续有效地运行。只有这样，才能保证实验数据和结果的真实可靠、准确、公正。

二、实验室管理体系的建立与实施

（一）前期准备阶段

1. 思想准备

实验室的各级领导在贯彻 ISO/IEC 17025 标准（简称贯标）上务必统一思想认识，贯标是实行科学管理、完善管理结构、提高管理能力的需要，只有充分、统一认识，做好思想准备，才能自觉而积极地推动贯标工作，严格依据《检测和校准实验室能力通用要求》逐步建立和强化质量管理的监督制约机制、自我完善机制，完善和规范本组织管理制度，保证组织活动或过程科学、规范地运作，从而提高检测及服务质量，更好地满足顾客需求。

2. 组织培训

（1）选择培训对象

组织活动（过程）中全部有关部门的负责人，他们是贯标的骨干力量，贯标达到什么样的效果，取决于最高管理者和各部门负责人对《检测和校准实验室能力通用要求》的理解。

（2）确定培训内容

①ISO 17025 标准基础知识。②对 ISO 17025 标准的理解和实施。③建立质量管理体系的方法和步骤。

3. 建立贯标运行机构

（1）建立贯标工作机构

一般由实验室最高管理者担任贯标工作机构负责人，贯标工作涉及的职能部门负责人担任机构成员。

贯标工作机构的任务是策划和领导贯标工作，包括制定质量方针和质量目标，依据《检测和校准实验室能力通用要求》所涉及要素分配部门的职责，审核体系文件，协调处理体系运行中的问题。

（2）任命质量负责人和技术负责人

由实验室最高管理者以正式文件任命并明确实验室质量负责人和技术负责人的职责权限，以及各自代表最高管理者承担质量管理及技术运作方面的职责和权利。

（3）成立管理体系文件编写小组

选择经过文件编写培训、有一定管理经验和较好的文字能力、来自管理体系责任部门的代表组成管理体系文件编写小组。

4. 分析评价现有管理体系

贯标的目的是改造、整合、完善现有的体系，使之更加规范和符合《检测和校准实验室能力通用要求》。这要求贯标者依据《检测和校准实验室能力通用要求》对现有的管理体系进行分析评价以便决定取舍。

（二）管理体系建立阶段

1. 编制管理体系文件

管理体系的实施和运行是通过建立贯彻管理体系的文件来实现的。通过管理体系文件贯彻质量方针；当情况改变时，保持管理体系及其要求的一致性和连续性；作为组织开展质量活动的依据，管理体系文件为内部审核和外部审核提供证据；管理体系文件可用以展示管理体系，证明其与顾客及第三方要求相符合。

管理体系文件一般由四个部分组成：质量手册、程序文件、作业指导书、质量记录表格。

管理体系文件由专门编写小组编写，编写顺序有三种。

（1）自上而下进行，即按质量手册—程序文件—支持性文件及记录表格的顺序编写。

（2）自下而上地进行。

（3）采取中间突破的方法，即先编写程序文件。

首先应对文件编写组成员进行培训，接着制订编写计划，收集有关资料，编写组讨论文件间的接口，然后将文件初稿交咨询专家审核，咨询专家向编写组反馈，并共同讨论修改意见之后，由编写组修改文件直至文件符合要求。

2. 管理体系文件的审核、批准、发布

管理体系文件应分级审批。质量手册应由最高管理者审批，程序文件应由质量负责人或技术负责人批准，作业指导书一般由技术负责人或该文件业务主管部门负责人审批。文件审批后，须正式发布，并规定实施日期。以宣传和培训的形式，使组织中所有人员理解质量方针和管理体系文件中规定的有关内容，在管理体系运行前，可以通过考试检查员工对有关内容的了解和理解情况。

（三）管理体系试运行阶段

1. 管理体系试运行

完成管理体系文件后，要经过一段时间试运行，检验这些管理体系文件的适用性和有效性。组织通过不断协调、质量监控、信息管理、管理体系审核和管理评审，实现管理体系的有效运行。

2. 内部质量审核和管理评审

实验室内部质量审核能动态显示质量体系的运行状况，是实验室自我审核、自我约束、自我完善的一种系统性的活动，是保证质量体系更加有效运作的重要手段，同时也是实验室通向管理评审和现场评审的重要环节。

管理评审是最高管理者适时地评价组织管理体系的持续性、有效性、适宜性和充分性的重要手段。通过定期开展管理评审，确保质量体系的适宜性、充分性、有效性和效率，以达到规定的质量目标。

3. 管理体系的调整和完善

内审和管理评审可以帮助发现管理体系策划中不符合《检测和校准实验室能力通用要求》或操作性不强之处。必要时可以增加内部质量审核的次数，通过内部质量审核和管理评审这一自我改进机制可以持续改进管理体系。一方面应纠正体系中的不合格项，另一方面要修改文件。

4. 管理体系有效运行的体现

（1）所有的过程及这些过程的相互作用已被确定。

（2）这些过程均按已确定程序和方法运行，并处于受控状态。

（3）管理体系通过组织协调、质量监控、体系审核和管理评审及验证等方式进行自我完善和自我发展，具备预防和纠正质量缺陷的能力，使管理体系处于持续改进不断完善的良好状态。

三、实验室内部审核

（一）内部审核的目的

1. 实验室应当对其活动进行内部审核，以验证其运行持续符合管理体系的要求。

2. 审核应当检查管理体系是否满足 ISO/EC 17025 或其他相关准则文件的要求，即符合性检查。

3. 审核也应当检查组织的质量手册及相关文件中的各项要求是否在工作中得到全面

的贯彻。

4. 内部审核中发现的不符合项可以为组织管理体系的改进提供有价值的信息，因此应当将这些不符合项作为管理评审的输入。

（二）内部审核的组织

1. 内部审核应当依据文件化的程序每年至少实施一次。

2. 内部审核应当制订方案，以确保质量管理体系的每一个要素至少每 12 个月被检查一次。对于规模较大的实验室或检验机构，比较有利的方式是建立滚动式审核计划，以确保管理体系的不同要素或组织的不同部门在 12 个月内都能被审核。

3. 质量负责人通常作为审核方案的管理者，并可能担任审核组长。

4. 质量负责人应当负责确保审核依照预定的计划实施。

5. 审核应当由具备资格的人员来执行，审核员应具备其所审核的活动所要求的技术知识，并专门接受过审核技巧和审核过程方面的培训。

6. 质量负责人可以将审核工作委派给其他人员，但须确保所委派的人员熟悉组织的质量管理体系和认可要求，并满足上款的要求。

7. 对于在广泛的技术领域从事检测/校准/检验工作的规模较大的组织，审核可能须由质量负责人领导下的一组人员来实施。

8. 在规模较小的组织，审核可以由质量负责人自己来实施。不过，管理者应当指定另外的人员审核质量负责人的工作，以确保其质量职责如期履行。

9. 只要资源允许，审核员应当独立于被审核的活动。审核员不应当审核自己所从事的活动或自己直接负责的工作，除非别无选择，并且能证明所实施的审核是有效的。当审核员不能独立于被审核的活动时，实验室和检验机构应当注重检查内部审核的有效性。

10. 当一个组织在客户的场所进行的校准/检测/检验活动或现场抽样获得了认可时，这些活动也应包含在审核方案中。

11. 其他方，如客户或认可机构进行的审核不应当替代内部审核。

（三）内部审核的策划

1. 质量负责人应当制订审核计划。审核计划包括审核范围、审核准则、审核日程安排、参考文件（如组织的质量手册和审核程序）和审核组成员的名单。

2. 应当向每一位审核员明确分配所审核的管理体系要素或职能部门，具体的分工安排应当由审核组长与相关审核员协商确定。委派的审核员应当具备与被审核部门相关的技术知识。

3. 为方便审核员调查、记录和报告结果所需使用的工作文件可能包括：①准则文件，如 ISO/IEC 17025 及其补充文件。②实验室的管理手册和程序文件。③用于评价质量管理体系要素的检查表（通常审核员根据自己负责的要素编制检表）。④报告审核观察的表格，如"不符合项记录表""纠正措施记录表"。这些表格中应记录不符合的性质、约定的纠正措施，以及纠正措施有效实施的最终确认信息。

4. 为保证审核顺利和系统地进行，审核的时间安排应当由每一位审核员与受审核方一起协商确定。

5. 审核开始前，审核员应当评审文件、手册及前次审核的报告和记录，以检查与管理体系要求的符合性，并根据须审核的关键问题制定检查表。

（四）内部审核的实施

1. 审核的关键步骤包括策划、调查、分析、报告、后续的纠正措施及关闭。

2. 首次会议应当介绍审核组成员，确认审核准则，明确审核范围，说明审核程序，解释相关细节，确定时间安排，包括具体时间或日期，以及明确末次会议参会人员。

3. 收集客观证据的调查过程涉及提问、观察活动、检查设施和记录。审核员检查实际的活动与管理体系的符合性。

4. 审核员将质量管理体系文件（包括质量手册、体系程序、测试方法、工作指导书等）作为参考，将实际的活动与这些质量管理体系文件的规定进行比较。

5. 整个审核过程中，审核员始终要搜集是否满足管理体系要求的客观证据。收集的证据应当尽可能高效率并且客观有效，不存在偏见，不困扰受审核方。

6. 审核员应当注明不符合项，并对其进行深入的调查以发现潜在的问题。

7. 所有审核发现都应当予以记录。

8. 审核完所有的活动后，审核组应当认真评价和分析所有审核发现，确定哪些应报告为不符合项、哪些只作为改进建议。

9. 审核组应当依据客观的审核证据编写清晰简明的不符合项和改进建议的报告。

10. 应当以审核所依据的组织质量手册和相关文件的特定要求来确定不符合项。

11. 审核组应当与组织的高层管理者和被审核的职能部门的负责人召开末次会议。会议的主要目的是报告审核发现，报告方式须确保最高管理者清楚地了解审核结果。

12. 审核组长应当报告观察记录，并考虑其重要性，机构运作中好坏两方面的内容均应报告。

13. 审核组长应当就质量管理体系与审核准则的符合性，以及实际运作与管理体系的符合性报告审核组的结论。

14. 应当记录审核中确定的不符合项、适宜的纠正措施，以及与受审核方商定的纠正措施完成时间。

15. 应当保存末次会议的记录。

（五）后续纠正措施及关闭

1. 受审核方负责完成商定的纠正措施。

2. 当不符合项可能危及校准、检测或检验结果时，应当停止相关的活动，直至采取适当的纠正措施，并能证实所采取的纠正措施取得了满意的结果。另外，对不符合项可能已经影响到的结果，应进行调查。如果对相应的校准、检测或检验的证书、报告的有效性产生怀疑时，应当通知客户。

3. 制定正式的纠正措施程序，以便发掘问题产生的根本原因，并实施有效纠正措施和预防措施。

4. 商定的纠正措施期限到期后，审核员应当尽早检查纠正措施的有效性。质量负责人应当最终负责确保受审核方消除不符合项及给予关闭。

（六）内部审核记录和报告

1. 即使没有发现不符合项也应当保留完整的审核记录。

2. 应当记录已确定的每一个不符合项，详细记录其性质、可能产生的原因、须采取的纠正措施和适当的不符合项关闭时间。

3. 审核结束后，应当编制最终报告。报告应当总结审核结果，并包括以下信息：①审核组成员的名单；②审核日期；③审核区域；④被检查的所有区域的详细情况；⑤机构运作中值得肯定的或好的方面；⑥确定的不符合项及其对应的相关文件条款；⑦改进建议；⑧商定的纠正措施及其完成时间，以及负责实施纠正措施的人员；⑨采取的纠正措施；⑩确认完成纠正措施的日期；⑪质量负责人确认完成纠正措施的签名。

4. 所有审核记录应按规定的时间保存。

5. 质量负责人应当确保将审核报告，适当时包括不符合项，提交组织的最高管理者。

6. 质量负责人应当对内部审核的结果和采取的纠正措施的趋势进行分析，并形成报告，在下次管理评审会议时提交最高管理层。

7. 报告提交管理评审的目的是确保审核和纠正措施能在总体上有助于质量管理体系运行的持续有效性。

四、加强质量管理确保管理体系有效运行

实验室的质量管理是实验室建设的重要内容。检测质量安全关乎实验室的生命，因此

需要有一个专业的、规范的质量管理体系来对日常工作过程进行有效的监督和控制，以确保检验报告的准确性、及时性和权威性。实验室质量管理体系的运行本质上就是执行质量管理体系文件、贯彻质量方针、实现质量目标、保持质量管理体系持续有效和不断完善的过程。这个过程要从人、机、料、法、环五个要素进行统筹考虑、综合控制，以加强质量管理，确保管理体系有效运行。

（一）人员要素

要真实地做到质量管理体系的良性运作，单靠一个人或几个人是无法办到的，只有充分发挥每个成员在管理体系中的作用，使每个成员始终有参与管理体系运作的积极性和能力，才能真正地贯彻质量方针、实现质量目标。实验室工作是一种多功能的综合性工作，实验室人员作为承担工作和完成科研任务的主体无疑是首要因素。实验室检测工作、管理工作、科研工作三项基本任务的服务性、技术性和专业性都很强，这就要求实验人员的素质、人员配备和使用要科学合理。现代化的实验室，一靠科学管理，二靠提高实验室人员的文化和业务素质。管理只是一种制度、手段和方法，而实验室人员具备良好的文化和业务素质则是做好实验室工作的关键因素，没有一支业务素质较高的队伍，再先进的管理模式和先进的仪器设备也无法发挥作用，管理也无从谈起。因此，实验室需要具有综合科研能力的高级技术人员、具有丰富的管理及实际工作经验的实验室管理人员、具有较强操作能力且工作态度认真的一般技术人员，各司其职，又注重各个层次的人员密切配合，保证从实验设计到实施各项工作都能有条不紊的进行。

（二）仪器设备要素

仪器设备是开展实验室检测的技术工具和手段，也是实验室检测水平和能力的重要体现。因此，实验室仪器设备管理重要性不容忽视，实验室必须建立"一机一档"，也即每台仪器都有自己的一套技术档案，具体包括购置申请及调试、验收记录，使用说明书，技术参数，检定校准记录，维修记录，使用记录，维护记录，期间核查记录等详细技术信息，既确保了实验室仪器设备能够得到有效控制，也保证了检测结果可追溯，也就是检测、检定和校准可以链式溯源。

（三）标准物质、试剂及易耗品要素

供应商的合格评定是采购标准物质及试剂的第一步，但仅有合格的供应商还远远不够，我们在收到标准物质及试剂后还需要对其进行必要的符合性验收与技术性验收，不但要查看外观、生产日期、标准物质证书等相关信息，还要由具体使用部门进行使用前的技术参数确认。同时，我们还必须严格按照说明书保存标准物质及试剂，并且在使用时做好开瓶记录，新旧标准溶液期间核查记录等相关记录，只有这样才能保证各类检测结果的可信度与客观性。

（四）环境要素

检测实验室环境建设在国家实验室认证认可中占有重要地位，同时，也是保证实验室检测工作顺利完成的必要条件。实验室环境要素主要包括功能区域布局、实验环境建设、安全环境建设以及环保设施建设四个方面。一个实验室功能区域包括非实验室区域和实验室区域两个部分，非实验区域和实验室区域应该分隔，与实验无关的设施应该搬离实验区域。同时，对于一些转角、死角、壁柜、桌椅以及实验室的用水设施、安全设施、供气设施、排风系统的设计可以引入现代装饰理念。实验环境建设主要是指可能影响检测结果的实验室环境以及保证仪器设备正常有效运行的外部环境，包括照明、温湿度、空气洁净度等。安全环境建设主要针对实验室作为一个具有潜在安全风险的特殊场所，应采取适宜的安全防护措施，实验室应有防护人身和实验室安全及人员健康的安全防护设施和文件化的程序。在日常工作中一定要贯彻"安全第一，预防为主"思想。环保设施建设主要解决由于实验室检测的需要，不可避免地会产生有毒、有害物质的问题，实验室应有妥善处理有害废气物的设施和制度，确保其排放符合环保的要求。

（五）检测方法要素

实验室应使用适合的方法和程序进行检测，以满足客户需求。在引入检测之前，实验室必须证实能够正确运用这些方法。一套全面的标准方法验证程序以及非标准方法确认程序可以有效保证检测结果的准确、可靠，其验证或确认内容主要包括测试方法的偏离、方法的回收率、方法的精密度及正确度、方法的检出限及定量限、方法的特异性及交互灵敏度、方法的耐用性与稳健性，以及方法的不确定度评定等方面内容。

加强实验室质量管理和管理创新，是实验室的一项长期的、细致入微的工作，实验室只有通过对人、机、料、法、环五个要素方面的持续改进，才能保证检验检测数据的公正、准确和及时，才能确保质量管理体系有效运行。

第二节　分析方法的质量评价

对于一个检测实验室而言，其产品就是"检测报告"。检测结果质量如何，必须有一个质量评价方法。随着检测方法的不断更新，评价方法的标准也逐步建立和完善起来。这些评价标准主要是检出限、精密度、准确度和不确定度等，可以用数值来描述，称为分析质量评价参数。

一、灵敏度

一个方法的灵敏度是指该方法对单位浓度或单位量的待测物质的变化所引起的响应值变化的程度。因此，它可以用仪器的响应值或其他指示量与对应的待测物质的浓度或量之比来描述。一个方法的灵敏度可因实验条件的变化而改变，在一定的实验条件下，灵敏度具有相对的稳定性。在实际工作中，灵敏度通常以标准曲线斜率表示，即通过标准曲线可以把仪器响应量与待测物质的浓度或量定量地联系起来。可用下式表示标准曲线的直线部分：

$$A = kc + a$$

式中：A——仪器的响应量；

c——待测物质的浓度；

a——标准曲线的截距；

k——方法的灵敏度，即标准曲线斜率。k越大，方法灵敏度越高。

在原子吸收分光光度法中，国际纯粹与应用化学联合会（IUPAC）建议将所谓的"1%吸收灵敏度"称为特征浓度，而将以绝对量表示的"1%吸收灵敏度"称为特征量。特征浓度（或特征量）越小，则方法灵敏度越高。

二、检出限

检出限是指分析方法在适当的置信水平内，能从样品中检测被测组分的最小量或最小浓度，即断定样品中被测组分的量或浓度确实高于空白中被测组分的最低量。

一般对检出限有几种规定方法。

（一）气相色谱法

用最小检出量或最小检出浓度表示检出限。最小检出量是检测器恰能产生色谱峰高大于二倍噪声时的最小进样量。即

$$S = 2N$$

式中：S——最小响应值；

N——噪声信号。

最小检出浓度是指最小检出量与进样量体积之比，即单位进样量相当于待测物质的量。

（二）吸光光度法

在吸光光度法中，扣除空白值后，将吸光度值为 0.01 所对应的浓度作为检出限。

（三）一般实验

当空白测定次数 $n > 20$ 时，给出置信水平 95%，检出限为空白值正标准差的 4.6 倍。即

$$检出限 = 4.6 \times S$$

式中：S——空白平行测定正标准差。

三、精密度

精密度是指在一定条件下对同一被测物多次测定的结果与平均值偏离的程度。精密度是反映随机误差大小的一个量，测定值越集中，测定精密度越高；反之，测定值越分散，测定精密度越低。

精密度常用标准差（S）表示，可利用贝塞尔公式进行计算，即

$$S = \sqrt{\frac{\sum\limits_{i=1}^{n}(x_i - \bar{x})^2}{n - 1}}$$

标准差对平均值的百分数，称为相对标准偏差，用 RSD 表示，即

$$RSD/\% = \frac{S}{\bar{x}} \times 100$$

式中：S——标准差；

x_i——各单次测定值；

$\bar{x}$——多次测定值的平均值；

n——测定次数。

为了满足某些特殊需求，引进下述三个精密度的专用术语。

（一）平行性

平行性系指在同一实验室中，当分析人员、分析设备和分析时间都相同时，用同一分析方法对同一样品进行的双份或多份平行样测定结果之间的符合程度。

（二）重复性

重复性系指在同一实验室内，当分析人员、分析设备和分析时间中至少有一项不相同

时，用同一分析方法对同一样品进行的两次或两次以上独立测定结果之间的符合程度。

（三）再现性

再现性系指在不同实验室（分析人员、分析设备，甚至分析时间都不相同），用同一分析方法对同一样品进行的多次测定结果之间的符合程度。

故所谓的室内精密度即平行性和重复性的总和，而所谓的室间精密度即再现性。

在测定精密度时应注意的问题如下：

1. 分析结果的精密度与样品中待测物质的浓度水平有关。因此，必要时应取两个或两个以上的不同浓度水平的样品进行分析方法的精密度的检查。

2. 精密度可因与测定有关的实验条件的改变而有所变动。通常由一整批分析结果中得到的精密度往往高于分散在一段较长时间里的结果的精密度。因此，如有可能，最好将组成固定的样品分成若干批，然后分散在一段适当长的时间里进行分析。

3. 因为标准偏差的可靠程度受测量次数的影响，因此，在对标准偏差做较好估计时（如确定某种方法的精密度），需要足够多的测量次数。

4. 在质量保证和质量控制中，经常用分析标准溶液的办法来了解分析方法的精密度，这与分析实际样品的精密度可能存在一定的差异。

四、准确度

准确度（accuracy）是指在一定条件下多次测定的平均值与真值相符合的程度。准确度是反映系统误差大小的一个量，误差越大，说明测定越不准确，即准确度低；反之，误差越小，测定越准确，即准确度高。准确度可以以绝对误差（一般情况称为误差）和相对误差表示。

$$绝对误差 = 测定值 - 真值$$

$$相对误差 = \frac{绝对误差}{真值} \times 100\%$$

误差值有时是正值，有时是负值。真值虽然是客观存在的，但又是我们不能直接测定出来的。通常取一个试样进行若干次测定所得的数据总是参差不齐的，怎样从这些数据中选择最佳的数值呢？通常有两个数值可供选择，即平均值或中位值。

平均值是指将测定值的总和除以测定总次数所得的商。设 x_1，x_2，x_3，…，x_n 代表各次的测定值，n 代表测定次数，以 $\bar{x}$ 代表平均值，则

$$\bar{x} = \frac{x_1 + x_2 + x_3 + \cdots + x_n}{n} = \frac{\sum\limits_{i=1}^{n} x_i}{n}$$

中位值是指将一系列测定数据按大小顺序排列时的中间值。若测定次数为偶次数，则中位值为正中两个值的平均值。中位值的最大优点是求法简便而又直观。中位数与两端的数据分布无关，只有在测定数据是正常地在两端均匀分布的情况下，它才能代表这个系列测定的最佳值。

在理想的情况下，如果数据在两端均匀地分布，那么平均值与中位值是相符合的。但在一般情况下，特别是测定次数较少时，平均值与中位值总是不完全符合的。

五、测量不确定度

检测实验室用测量结果来判定被测对象的质量，但测量数据的质量用什么来判定呢？最初是用测量误差。由于真值往往是不知道的，或者是很难知道的，所以测量误差也很难知道。测量误差的定义尽管是严格的、正确的，能反映测量的质量和水平，但可操作性不强。为了对测定结果的质量有一个定量的描述，以确定其可靠程度，需要引入测量不确定度的概念。

（一）测量不确定度的概念

1. 测量不确定度的定义

表征合理赋予被测量的值的分散性、与测量结果相联系的参数，称为测量不确定度。"合理"意指应考虑到各种因素对测量的影响所做的修正，特别是测量应处于统计控制状态下。所谓统计控制状态就是一种随机控制状态，即处于重复性条件下或再现性条件下的测量状态。"赋予被测量的值"意指被测量的测量结果，它不是固有的，而是人们赋予的最佳估计值。"分散性"意指该估计值的分散区间或分散程度，而被测量的值分布的大部分可望在此区间内。"相联系"意指测量不确定度是一个与测量结果"在一起"的参数，在测量结果完整的表示中应包含测量不确定度。此参数可以是诸如标准差或其倍数，或说明了置信概率的置信区间的半宽度。就是说，不确定度是和测量结果一起用来表明在给定条件下对被测量的值进行测量时，测量结果所可能出现的区间。

因此，测量结果的不确定度是测量值可靠性的定量描述。不确定度越小，测量结果可信赖程度越高；反之，不确定度越大，测量结果可信赖程度越低。

2. 测量不确定度的来源

产生测量过程中的随机效应及系统效应均会导致测量不确定度，数据处理中的数字修约也会导致不确定度。分析测试过程中导致不确定度的典型来源如下。

（1）取样和样品的保存。取样的代表性不够和测试样品在分析前存储时间以及存储条件不当均会导致测量不确定度。

（2）仪器的影响。如测量仪器的计量性能（如灵敏度、稳定性、分辨力等）的局限性会导致测量不确定度。

（3）试剂纯度。测试过程中所用的试剂及实验用水纯度不符合要求也会引进一个不确定度分量。

（4）假设的化学反应。定量关系分析过程中偏离所预期的化学反应定量关系，或反应的不完全或副反应。

（5）测量条件的变化。测量过程中测量条件（如时间、温度、压力、湿度等）发生变化，比如测量时使用仪器的温度与校准仪器的温度不一致等。

（6）测量方法不理想。

（7）计算影响。引用的常数或参数不准确；选择校准模型，例如对曲线的响应用直线校准，导致较差的拟合；计算时数字的修约等，均会引入较大的不确定度。

（8）空白修正和测量标准赋值的不准确。空白修正的值和适宜性都会有不确定度，这点在痕量分析中尤为重要。

（9）操作人员的影响。操作人员可能总是将仪表或刻度的读数读高或读低，还可能对方法做出稍微不同的解释。这些都会引进一个不确定度分量。

（10）随机影响。在所有测量中都有随机影响产生的不确定度。

综上所述，测量不确定度的大小与使用的基准标准、测试水平、测试仪器的质量和运行状态等均有关系。

3. 测量不确定度的分类和评定

随着社会的进步、国际贸易的不断扩大和科学技术的发展，测量范围不断扩大，在国民经济的各个领域中进行着大量的测量工作。测量不确定度是对测量结果质量和水平的科学表达。通过测量不确定度可以分析影响测量结果的主要因素，从而提高测量结果的质量。通过评定测量不确定度还可以评价校准方法的合理性、评价各实验室间比对实验的结果，可以知道或给出结果判定的风险。

4. 测量误差与测量不确定度

区分误差和不确定度很重要，因为误差定义为被测量的测定结果和真值之差。由于真值往往不知道，故误差是一个理想的概念，不可能被确切地知道。但不确定度是可以一个区间的形式表示，如果是为一个分析过程和所规定样品类型做评估时，可适用于其所描述的所有测量值。因此，测量误差与测量不确定度无论从定义、评定方法、合成方法、表达形式、分量的分类等方面均有区别。

（二）平均值的置信区间

定量分析的目的是为了获得样品中被测组分含量的真实值。在不存在系统误差的前提下，总体均值 μ 就是真值。在实际分析工作中，不可能对样品做无限次的平行测定来获得总体均值，而只能对样品做有限次数的平行测定，以得到样本均值 $\bar{x}$。根据样本均值 $\bar{x}$ 及标准差 S，可以估计总体均值 μ 所在的范围，这一范围被称为平均值的置信区间。下式为平均值置信区间的计算公式：

$$\mu = \bar{x} \pm t_{a,v}\frac{S}{\sqrt{n}}$$

式中：S——样本标准差；

　　　$t_{a,v}$——统计量。

将平均值的置信区间与不确定度进行比较可知，如果 B 类不确定度控制在可忽略不计的程度，测量结果的真值才处在 $\mu = \bar{x} \pm t_{a,v}\frac{S}{\sqrt{n}}$ 范围之内。

提高检验结果的准确度必须消除系统误差、减少随机误差以减小不确定度。实际工作中，一般用已知准确值的标准物质考查分析方法的准确性，如果不存在明显的系统误差，则用随机误差近似表达准确度。

在 95% 的置信概率下，任何一个检验人员对标准物质独立地进行测试，根据所得平均值是否符合标准物质的准确值（用不确定度表示的一个范围值）即可衡量分析测试是否准确。如标准物质尿素，证书上给出的总氮质量分数准确值为 (46.30±0.12)%，其中 0.12 为不确定度。对此标准物质测试得到的测定结果为 46.42%，在 (46.30±0.12)% 范围内，与准确值相符，则认为分析测试结果准确，测定方法无显著的系统误差。否则，就需要查找原因，确定误差来源。

第三节　检测实验室质量控制

实验室质量控制包括实验室内质量控制和实验室间质量控制，是控制误差的一种手段，其目的是要把分析误差控制在容许限度内，保证分析结果有一定的精密度和准确度，使分析数据在给定的置信水平内，有把握达到所要求的质量。

一、实验室内质量控制

实验室内质量控制是分析人员对分析质量进行自我控制的过程，及时发现随机误差和系统误差对检测工作的影响，以便随时采取相应的纠正措施，确保实验室分析结果的可靠性。其过程是从样品进入实验室后，样品制备和取样到分析，直到结果的计算和报告发出的全过程。

（一）检验工作管理

1. 采样及样品管理

应确保样品具有代表性和公正性，符合检验要求，并便于检验结果的复核。

（1）采、送样

①采样人员须经检验质量管理部门培训、考核，其资格由疾病预防控制机构负责人批准。

②参与采集供监督、鉴定的样品时，应持采样凭证，按有关采样方法要求采样，并做好现场采样记录，填写样品采集记录表。

③按规定的技术要求保存和运送样品。

④供仲裁检验的样品，必须经仲裁方和有争议的双方确认后，共同封样。

（2）委托检验的送样

委托送检的样品，由检验质量管理部门办理承接手续，送检样品必须符合检验要求并填写检验委托书。

（3）收样

检验质量管理部门按检验技术标准规定，对样品进行验收，并核对采样单或检验委托单，填写检验样品交接单，办理交接手续。检验样品单和样品随检验程序流转。

（4）样品保管

质量管理部门应从样品中取出 1 份保留样品，数量不得少于供 2 次分析的样品量，由质量管理部门保管。一般样品保存期为 3 个月。特殊样品根据具体情况确定保存期。留样应确保无沾污、渗漏、破损、变质和混淆。

（5）样品处理

剩余样品待检验报告发出后由实验室负责处理。保留样品由质量管理部门在保存期终止后处理，处理应符合环保要求。样品处理必须有记录和审批手续。

2. 检验的内容

保证检验工作的规范，确保检验的质量和便于检查审核。检验室从检验质量管理部门收到样品和检验样品单应检查验收样品的外观、包装状况及样品有无破损、流失、变质、污染，样品数量是否足够检验使用，然后核对标签和检验项目，确认无误后签收并详细记录。

（1）检验前的准备

①检验方法：按照国家标准检验方法或经确认的检验方法检验。

②试剂准备：按标准检验方法的规定配制。

③仪器准备：按标准检验方法规定的仪器和仪器操作规程，检查、使用在校准有效期内的仪器。

（2）检验

各项检验必须满足检验方法测定下限值以上的规定取样量。

检验原始记录的书写具体要求如下：原始记录的内容包括检验样品名称、编号样品标记、样品到达日期、检验日期和检验完成日期、检验项目和方法；检测仪器名称、型号、仪器检测条件；必需的检测环境条件；检测过程中所出现的现象的观察记录；检测的原始数据记录、计算及数据处理结果；检验人员和校核人员签名。

检验室应统一印制实验原始记录，检测人员在检验过程中按上述内容书写，字迹清晰，易于辨认。如记录有错误，应在错误处画两条横线，在其右上方写下正确数据并加盖检验员名章确认，不允许随意涂改、删减原始记录，也不允许在其他纸张上记录后再誊抄。原始记录必须经校核人审查无误后，签字确认。

（3）检验报告书

检验报告书应统一格式。检验工作完成后，由报告编制人根据原始记录的结果编制报告底稿，经检验室技术负责人审核后打印检验报告书。

报告书必须填写完整，签名齐全，文字简洁规范，空白的项目一律填写横线"—"。报告书内容不允许任意更改和修改。所有检验数据采用法定计量单位，必要时或处于标准限（临界值）时应给出检测结果的不确定度。低于方法检测限的结果均以小于检测限（限值）报告。对经申报、认可检验项目的报告书应有明显质量标识；对于与委托方协商提出采用非标准检验方法的，必须在报告书上注明，并声明检验结果只能作为技术参考。应告知受检单位（或委托单位）对检验结果如有异议，可在收到检验报告书 15 天内以口头或书面形式正式提出申诉。

（4）原始记录和检验报告的审核与发送

原始记录与检验报告必须经同一检验室的检验人员（必须具备五年以上专业工作经验）校核签字。汇总原始记录、检验报告底稿与检验报告、检验样品单和有关资料，交检验室技术负责人审核签名后送检验质量管理部门。

检验报告由法定代表人或其授权签字人签发；涉及仲裁、行政决策等重大影响的检验报告应由质量负责人审查提出意见，交机构法定代表人或其授权签字人签发。检验报告在审核批准过程中如发现错误，应通知检验人员查找原因，提出改正的理由，经逐级审核无误，予以确认后，才能更改。

采样检验的检验报告书送有关科室一份，存档一份；委托检验仅向委托单位发送一份，存档一份。对外发出的检验报告应有检验者或编制者（一份报告由多个专业或多个检验人员共同完成时）、审核人、签发人（法定代表人或其授权签字人）签名；检验结果不得私自外传。

检验报告由机构质量管理部门汇总、登记、编号、盖章、发出，并将存档报告与原始记录、样品交接单和有关资料汇总、登记、编号，归入同一档案备查，保存至少三年。

3. 检验事故的处理

纠正检验工作中的差错，及时规范地处理检验事故，确保检验人员和实验设备的安全和正确处理异议与申诉。

（1）检验事故包括因过失造成样品损坏或丢失；由违章操作引起仪器损毁或发生安全事故；因检验错误、记录错误或数据处理错误、审查不严等造成发出错误报告，引起受检单位的异议和申诉。

（2）发生检测事故后当事人应立即采取有效措施，并应逐级上报，重大事故应直接报技术负责人。事故责任人应在事故发生后三日内写出事故经过的报告，科室主任应提出改进措施和处理意见，质量负责人应组织有关人员进行事故调查分析，确定事故原因和性质，书面提出处理意见，报技术负责人批准执行。事故处理的有关资料均由机构质量管理部门整理归档。

（3）申诉（抱怨）处理。①受检单位（或委托单位）对检验结果提出申诉（抱怨），应在收到检验报告15天内以口头或书面形式正式提出，同时提供提出申诉（抱怨）的依据。②申诉（抱怨）统一由机构质量管理部门受理，质量负责人应在一周内组织有关科室检验人员进行分析研究，确定申诉（抱怨）是否成立。③经审查认为申诉（抱怨）依据不足的，由机构质量管理部门填写申诉（抱怨）答复通知函，经技术负责人批准后，以发公函形式通知申诉（抱怨）单位并重申原检测报告有效。④如认为申诉（抱怨）理由正确，则应由机构质量管理部门通知检验质量管理部门对保管的留样重新按规定的程序进行检验并重新发出报告，原来的检验报告应予以收回。⑤申诉（抱怨）处理结束一周内，机构质量管理部门应将有关申诉（抱怨）的处理资料整理归档。

（二）测定方法的选定

测定方法的选定，必须采用国家颁布的标准检验方法或权威机构推荐的方法，使用非标准方法必须经过验证、鉴定和审批。对新建立或引进的方法，投入运行前必须进行验证和误差的预测，并经审批。

（三）分析测试过程的质量控制

1. 空白实验

空白实验与样品测定同时进行，每天或每批空白平行样的减差和平均值均应在空白值控制限内，否则应寻找原因，纠正后再进行检测。

2. 校准曲线的绘制及量程的确定

校准曲线的浓度点应大于5个点（不包括空白），其分布应包括测定方法的上限及下限的浓度值，下限值的浓度应与空白（零浓度）值具有统计学的显著差异。整个浓度范围内的浓度点重复测定结果，它们的方差应是齐性的。校准曲线的相关系数一般应大于0.999。应用回归方程计算结果，并根据剩余标准差估计单次测定的不确定度。不稳定指标应每批制作校准曲线。对可以在一段时间内使用的校准曲线，每次（批）测试时应同时测定接近下限和上限的2个浓度点，测量值应在回归线误差范围内。

3. 质量控制图

控制图是由美国数理统计学家休哈特首先在生产管理中采用的方法，随后在临床检验、生物鉴定、环境监测、食品监测及医院管理等方面得到广泛的应用。

记录和控制所获得的精密度和准确度数据的最好方法是绘制控制图，它是实验室内部分析质量控制的重要方法。绘制控制图的基本设想是考虑到每个方法在使用中都存在变异，在整个分析过程中既存在系统误差，也存在随机误差。质量控制是以实验室获得的分析数据按常态分布的假设为基础，以实验结果为纵坐标，实验次序为横坐标，实验结果的均值为中心线，根据计算得到均值的标准差决定方法的警告限和控制限。

质量控制图在实验室工作中起到重要作用：①及时直观地反映出分析工作的稳定性和趋向性；②及时发现分析工作中的异常现象和缓慢变异，如用标准偏差和极差控制图，可以估计例行检测过程的变动性；③在例行实验工作中，它是决定观测值取舍的标准和依据之一；④能及时发现检测过程是否存在明显的系统偏差，并指出偏差的方向；⑤为评定实验室分析工作质量提供依据，是检验各实验室间的数据是否一致的有效方法之一。

质量控制图：控制图的绘制应采用实际分析的数据，收集数据至少为20次，当获得新的20次分析结果时，应绘制另一个控制图。下面将实验室内常用的质量控制图进行介绍。

（1）均值（$\bar{x}$）控制图

均值$\bar{x}$控制图通常用来控制分析的精密度，因此又称精密度控制图。它是用一个质量控制样品独立分析20次，计算平均值和标准差。以测定值为纵坐标，以测定顺序为横坐标，测定值的平均值为控制图的中心线，计算出上、下控制限和警告限，绘制控制图。

$$上控制限为：UCL = \bar{x} + 3\frac{s}{\sqrt{n}}$$

$$下控制限为：LCL = \bar{x} - 3\frac{s}{\sqrt{n}}$$

$$上警告限为：UWL = \bar{x} + 2\frac{s}{\sqrt{n}}$$

$$下警告限为：LWL = \bar{x} - 2\frac{s}{\sqrt{n}}$$

式中：$\bar{x}$——真值或多次测定结果的算术平均数；

n——估算标准差 S 的样品数；

S——标准差。

监控的办法是在分析未知样的同时也分析这份质量控制样品，把质量控制样品的分析结果接着"打点"到这张图上，如"打点"未出界，表示分析的各种条件正常，反映分析过程处于控制之中，同时进行的未知样的分析结果也是可靠的。如某次分析的这份质量控制样品"点子"超出控制限，就说明这一次的分析条件有异常，未知样品的分析数据也不可靠。这时应立即查找原因，除存在偶然性因素（随机误差）外，是否还有系统因素（系统误差）在起作用，找出原因，将其消除，从而使分析过程达到控制状态。

（2）平均值-减差（$\bar{x} - R$）

控制图平均值-减差控制图由平均数控制图及减差控制图两部分组成。平均值控制图主要观察测量值的平均变化情况，用于考察测定的准确度；减差控制图主要观察测量值分散程度的变化，用于考察测定的精密度。因此，在平均值-减差控制图中，既可以观察平均值的变化趋势，又可以观察分散程度的变化，是一种有效的控制方法。

（3）回收率控制图（P 图）

将已知量的标准加入样品中成为加标样品，其测定值为随机次序与样品相减得回收率，用百分回收率经统计处理制成的控制图来控制准确度。

回收率 P 图的中心线为平均回收值，上下控制限和警告限分别为：

$$UCL = P + 3S$$

$$LCL = P - 3S$$

$$UWL = P + 2S$$

$$LWL = P - 2S$$

式中：S——均回收率的标准偏差。

4. 平行样的质量控制

在测定成批样品时，随机抽取 2%～10% 的样品进行平行双样测定；单一样品的检验必须做平行样。一般平行双样测定所得相对偏差小于标准分析方法规定的相对标准偏差的两倍时取平均值报告结果。

5. 回收率的控制

回收率实验是对系统因素影响检测结果质量的控制方法，对于复杂基体的样品、未知干扰因素的样品必须对加标样品进行回收实验；成批同类型同基体样品可取 10%～20% 的样品进行加标实验，回收率应在控制限内，否则应查明原因。

6. 质量控制样品的分析

经常分析或者至少在已知加标实验得不到合格回收率时，必须通过对外部提供的标准样品（标准参考物或控制样品）进行分析，以发现实验室存在的系统因素的影响。

质量控制样品的基体应尽量与监测样品基体的化学组成和物理性质相同或相似，其浓度应包括监测样品的浓度范围，质量控制样品可以本单位配制，也可购买商品标准参考物质。

质量控制样品的前处理必须与监测样品的前处理同批进行，使用同一方法同时测定。若每批测定样品数量很多，应根据使用仪器的稳定性，每隔一定时间（一般不超过 10 个样品，测定其中 1 份质量控制样品），如发现质量控制样品的偏差大于测定方法相对标准偏差的两倍，应立即停止测定，采取措施，并对上次质量控制样品以后所测的样品重新测定。

7. 比对实验

（1）多人比对。使用相同的方法，在相同的实验条件下，由多位检验人员对同一样品进行检验，比较多人检测结果，从而判定各位检测人员检测结果的可靠性。

（2）设备比对。使用相同的方法，由同一个检验人员使用不同的仪器对同一样品进行检验从而判定检测结果的可靠性。

（3）方法比对。由同一个检验人员使用不同的仪器对同一样品进行检验从而判定检验结果的可靠性。

（四）检测结果质量保证常用的监控方法

1. 定期使用有证标准物质分析

利用有证标准物质或使用次级标准物质（其量值由有证标准物质导出）开展内部质量控制，相当于测量审核或盲样实验。所谓"测量审核"是指，实验室对被测物品（材料或制品）进行实际测试，将测试结果与参考值进行比较的活动，而有证标准物质或次级标准物质提供了已知的量值（参考值）。

（1）标准物质的选择

为达到质量监控的预期目的，应按照以下原则选取有证标准物质或使用次级标准物质：

——标准物质的量值（或含量水平）应与被测物品的量值（或含量水平）相近；

——标准物质的基体应尽可能与被测物品的基体相同或相近；

——标准物质的形态（液态、气态或固态）应与被测物品相同；

——标准物质应在其有效期内使用，其保存应符合规定的储存条件；

——标准物质量值的不确定度 U_{RM}（置信概率95%）应小于实验室给出的对被测物品测量结果的不确定度 U_U（置信概率95%），最好能够满足 $U_{RM} \leqslant \frac{1}{3} U_U$；

——同一标准物质不能既用作仪器设备的校准，又用作测量结果的监控。

（2）质量控制数据的判据

通常是将有证标准物质作为"盲样"进行检测，测量结果记为 x_U，并用下式作为质量监控的判据：

$$E_n = \frac{x_U - x_{RM}}{\sqrt{U_U^2 + U_{RM}^2}}$$

式中：x_U ——实验室测量得到的有证标准物质的量值；

$\quad\quad\quad x_{RM}$ ——有证标准物质的赋值证书给出的标准物质的量值；

$\quad\quad\quad U_u$ ——测量结果 x_U 的扩展不确定度，置信概率95%；

$\quad\quad\quad U_{RM}$ ——有证标准物质量值 x_{RM} 的扩展不确定度，置信概率95%。

如果标准物质量值的不确定度满足 $U_{RM} \leqslant \frac{1}{3} U_U$，则上式可简化为：

$$E_n \approx \frac{x_U - x_{RM}}{U_U}$$

满意的判据值 E_n 应在 +1 和 −1 之间。若 $|E_n| > 1$，则实验室就应该进行检查分析，查找发生问题的原因，采取纠正措施。

2. 使用相同或不同的方法进行重复检测或校准

（1）使用不同的方法进行内部质量监控。利用不同方法进行内部质量监控的判据是：

$$E_n = \frac{x_1 - x_2}{\sqrt{U_1^2 + U_2^2}}$$

式中：x_1 ——方法1给出的测量结果；

x_2——方法 2 给出的测量结果；

U_1——方法 1 测量结果 x_1 的扩展不确定度，置信概率 95%；

U_2——方法 2 测量结果 x_2 的扩展不确定度，置信概率 95%。

满意的判据值 E_n 应在 +1 和 −1 之间。

需要指出，被测物品必须是稳定的。

（2）使用相同的方法进行内部质量监控。利用相同的方法进行内部质量监控的判据是：

$$E_n = \frac{x_1 - x_2}{\sqrt{U_1^2 + U_2^2}} = \frac{x_1 - x_2}{\sqrt{2}\, U}$$

式中：x_1——用相同的方法进行第一次测量给出的测量结果；

x_2——用相同的方法进行第二次测量给出的测量结果；

U_1——第一次测量结果 x_1 的扩展不确定度，置信概率 95%；

U_2——第二次测量结果 x_2 的扩展不确定度，置信概率 95%。

若实验在重复性条件下进行，两次测量结果的扩展不确定度相同，即有 $U_2 = U_1 = U$。

注意，使用相同方法进行内部质量监控时，必须确保被测物品的稳定性。

需要指出，使用相同方法进行内部质量监控，只能对测量结果的重复性进行控制，不能判断测量结果是否存在系统偏差。

（3）对存留物品进行典型示范检测或再校准。进行内部质量监控的判据是：

$$E_n = \frac{x_1 - x_2}{\sqrt{U_1^2 + U_2^2}} = \frac{x_1 - x_2}{\sqrt{2}\, U}$$

式中：x_1——对存留物品进行第一次测量给出的测量结果；

x_2——对存留物品进行第二次测量给出的测量结果；

U_1——第一次测量结果 x_1 的扩展不确定度，置信概率 95%；

U_2——第二次测量结果 x_2 的扩展不确定度，置信概率 95%。

因为使用相同的方法对存留物品进行检测或校准，测量同一被测物品，两次测量结果的扩展不确定度相同，即有 $U_2 = U_1 = U$。

注意，必须选择稳定性良好的存留物品。

同样地，对存留物品进行再检测或再校准，只能对测量结果的重复性进行控制，不能判断测量结果是否存在系统偏差。

3. 分析一个物品不同特性结果的相关性

利用同一物品不同特性参数之间的相关分析，可以得出相关参数之间的经验公式，从而可以间接地用一个参数的量值来核查另一个参数量值的准确程度。

在日常检测工作中，同一物品不同特性参数之间存在相关关系的例子很多，诸如，煤炭中灰分与热值的关系，钢材中含碳量与抗拉强度的关系，纤维的拉伸倍数与强度的关系，啤酒浊度与储藏时间的关系，水泥养护 3 天的强度与养护 28 天的强度的关系，某些矿品的杂质与白度、水分与含量、灼烧失量与品位等均有相关关系。

二、实验室间质量控制

实验室间质量控制是在实验室认真执行内部质量控制的基础上进行，其目的是发现和消除实验室检测结果存在的系统误差和影响因素，保证结果的可比性和可溯源性。实验室间质量控制也称为外部质量控制，是对实验室操作和实验室方法的回顾性评价，而不是用来决定实时测量结果的可接受性，也是实验室内部质量控制的一个重要补充。实验室外部质量控制通常参加实验室间的比对和能力验证计划。

（一）实验室间比对

按照预先规定的条件，由两个或多个实验室对相同或类似的物品进行测量或检测的组织、实施和评价。实验室间比对样品的测试可根据不同目的的称为质量考核、实验室技能评价、实验室间分析质量控制和实验室间数据核对等，是对标准溶液进行比对和校正的基础上，由组织者制订计划，并发放未知浓度的考核样品，要求参加实验室作为常规样品进行检测，结果汇总后进行分析质量评价。组织质控的实验室将综合资料及时分发给各参加实验室，以便各实验室找出误差的原因，采取措施，做出改进方案。

（二）能力验证

能力验证（PT），利用实验室间比对，按照预先制定的准则评价参加者的能力，包含了符合本定义的各类能力验证计划、测量审核和比对计划。能力验证计划是为保证实验室在特定检测、测量或校准领域的能力而设计和运作时的实验室比对，在国家实验室认可制度中，参加能力验证是对认可实验室的强制要求。

目前国内外开展组织能力验证活动的机构比较多，许多行业机构和协会也在组织开展相关的能力验证。中国合格评定国家认可委员会（CNAS）能力验证处负责建立和维护能力验证提供者的清单，并面向社会公布，以便于实验室选择和参加。

实验室在参加能力验证活动或测量审核出现结果不满意时，应进行原因分析，提出纠正措施，并及时向能力验证活动协调单位提交整改报告，通过参加重复测试或测量审核来达到满意结果，以保证实验室的技术能力和质量控制措施有效。

第四节　抽样技术与样本的质量保证

一、抽样的重要性

检测工作一般是抽取分析对象中一部分有代表性的物质进行测定，并以此来推断被分析总体的性质。分析对象的全体称为总体。构成总体的每一个单位称为个体。从总体中抽出部分个体，作为总体的代表性物质进行检验，这部分个体的集合称为样本。从总体中抽取样本的操作过程称为抽样。

检测工作所遇到的样本种类繁多，在分析中有化工、医药、卫生、食品、生物等方面。尽管被测物质的性质、分析目的及选用的分析方法各不相同，但其定量分析一般包括四个步骤：①样本的采集和保存；②样本的预处理与干扰成分的分离；③分析方法的选择及试样的测定；④分析数据的处理和报告分析结果。

样本的获取是获得分析数据的基础，样本的正确采集十分重要。如果抽样不合理，样本不能反映总体的真实情况，即使分析结果非常准确，也毫无意义，甚至还会导致错误的结论及后果。因此在评价检验结果的可靠性时，样本的质量是一个重要方面。但在实际工作中，样本的质量往往被忽视。分析人员往往只报告在某时对某特定试样所得的分析结果，而这些结果有可能不能提供所需要的信息。这可能是因为抽样方法、样本贮存、样本保管或分析前的预处理过程不当所引起的。由于对抽样方法本身考虑不周，常常使分析结果与总体之间得不到肯定的关系，甚至达到无法解释的程度。

不好的分析结果可能由多种因素引起，如试剂的污染、方法带有系统误差等。这些误差来源的大部分都可用适当的空白、标准物质等来加以控制和校准。然而，样本不正确则是一个特殊的问题，对此既不能控制也无法使用空白。因此，抽样的不确定度经常与分析的不确定度分开处理。假设分析过程的总标准偏差为 $S_\text{总}$，取样操作的标准偏差为 S_0，分析操作的标准偏差为 S_a，则 $S_\text{总}^2 = S_0^2 + S_\text{a}^2$。显然，抽样是一个关键步骤。因此，在检测过程中，应对抽什么样的样本、什么时候抽、在哪里抽、怎样抽以及抽多少样本进行分析等问题做充分的考虑，并在每一个分析测定的步骤中写明。由于抽样的问题涉及范围太广，不能详细全面讨论，本节仅对比较有代表性的无规则物料的取样问题及与抽样质量保证有关的问题做一介绍。

无规则物料是分析测试的重要领域之一，如矿物、食品、对环境有重要影响的物质以及许多工业产品都属于这一类。

无规则物料抽样时的主要步骤如下：①认定抽样的总体；②从总体中选择并取出正确的总样本；③将每一总样本减少到与所选择的分析方法要求相适应的实验室样本。

一般以为，分析测量的不确定度降低到样本不确定度的 1/3 或更少时，再进一步降低分析测量的不确定度就没有什么意义了，根据 $S_{总}^2 = S_0^2 + S_a^2$，如果样本的不确定度较大，并且不可能再降低样本的不确定度，那么进一步完善测量方法显然作用不大，此时就应该采用快速的分析方法，即使快速的分析方法的精度比较差。事实上，在这种情况下，正是可测试较多样本的快速低精度的方法，可能是降低分析的无规则物料平均值不确定度的最好途径。

测定花生中黄曲霉素含量的过程是说明抽样重要性的一个极好实例。黄曲霉素是由霉菌产生的有毒的化合物，这些霉菌在潮湿、温暖的条件下生长得最快。这种条件在仓库中可能是在局部发生的，所以就使严重污染的花生呈不规则分布。一颗严重霉变的花生在磨碎和混合后可能会使相当大的一批花生中的黄曲霉素含量超出国家食品标准允许范围。测量黄曲霉素含量时先将一定量试样中黄曲霉素用溶剂萃取出来，再用薄层色谱法分离，然后测量黄曲霉素斑点的荧光。

二、抽样方式和样本类型

（一）抽样的原则和目的

样本采集的原则和目的可以概括为代表性、典型性和适时性。

1. 代表性

采集的样本必须能充分代表被分析总体的性质。例如植物油等液体样本，应充分混匀后再进行采集。对于固体样本，则须按不同部位分别取出少量样本，将其混合均匀后通过一定的处理制得有代表性的样本。

2. 典型性

对有些样本的采集，应根据检测的目的，采集能充分说明目的的典型样本。例如对怀疑被污染的食品进行分析，应仔细挑选可疑部分作为样本。

3. 适时性

根据检测目的、样本性质及周围环境等，对某些样本的采集要有严格的时间概念。例如监测工人在一个班工作时间内接触空气中有害物质的最高浓度，应选排放有害物质浓度最高的时机采样。

抽样要避免样本的污染和被测组分的损失，要选择合适的采样器皿和抽样方法，并做好详细的抽样记录。抽样量应满足检验、样本预处理和备考样本的需求。

（二）随机抽样与随机样本

随机抽样是常用的抽样方式，用随机抽样方式得到的样本为随机样本。但随机抽样是有一定难度的，任意取的一个样本不是一个随机样本。通过一定的规程选择的样本很可能表现出该规程的系统误差，甚至在很有利的情况下都会发生无意识的选择和系统误差。如果利用随机数表来进行随机抽样就可以避免这种情况发生。

使用随机数表进行随机抽样时，首先将构成总体的样本编号，把无规则样本分成真正的或想象的几个区域，例如对一定体积的水溶液可以想象在水平和垂直两个方向上分割成许多小块，对每个区域的小块指定编号，然后从随机数表中任意一个地方开始，按照预定的方式选取数字。

使用随机数表时，应避免反复使用同一部位。

以均匀间隔从无规则样本中抽样虽有缺点，但仍常被用来替代随机抽样，原因是这种方法较为方便。由于该方法相比随机抽样更会产生系统误差，所以不推荐使用。如果采用，必须仔细检查结果，以保证不产生由材料的周期性选择而造成的误差。

（三）规则抽样与规则样本

有时常常为了反映或试验某些有规则的假设而进行抽样分析。这种假设可以是材料组分随时间、温度或空间位置不同而呈现变化。如果以规则的方式收集这种样本，则每个样本都可被认为是代表一个在具体条件下的独立的总体。但是，所得结果仍然可用统计方法来测定差异的显著性。

显然，对测量过程了解得越少，随机性就越大。相反，对测量过程有较完全的了解时，规则抽样方式能提供最大的数据获得率。例如，分析一个大容器内的粉状样本时，因为已知粉状物质由于粒度和重度的不同，有分层作用，这会影响粉状物质的均匀性。所以在大容器内抽样时往往是从上、中、下三个部位抽样。对棒状材料抽样时，往往在两端、1/4、1/2和3/4五个部位横向抽样，同时对横截面进行径向抽样。又如，对土壤中某些物质进行普查时，应按土壤类型、成土母质、成土过程和成土条件等分区抽样，这样可达到取较少的样本而分析结果又能反映总体真实情况的目的。

（四）随机抽样与规则抽样的结合

有时将随机抽样与规则抽样巧妙结合起来能收到良好的效果。例如，把8筒粉末样品分装到960 000个瓶中，即使随机抽取1%的样本，也须分析9 600瓶。如果把随机抽样与规则抽样相结合，则8筒之间的差异要比1筒内部的差异大，所以8筒中均要抽样；1筒内部的差异主要是由粉状物的粒度和重度等不完全一致所造成的，因此从 1 筒的上、中、下三个部位抽样能充分反映筒内的不均匀性；进一步想象，筒中上、中、下三部分各由 100 层构成（可以认为每层是均匀一致的），在 100 层中若用随机数表抽取 5% 的样本，这样只需要分析 120 瓶（8×3×5）即可。分析的样本减少到原来的 0.25%，仍能保持分析结果的可靠性。

（五）代表样本和复合样本

"代表样本"这个术语经常用来表示能显示总体平均特性的单个样本。从代表样本中获得的信息一般不如从总体的随机样本中获得的信息多，代表样本不能用随机方式选取。

一个名副其实的代表样本仅适用于两种情况，一种是根据某特定目的事先定义具有代表性的样本；另一种是对真正均匀样本的抽样。虽然测量代表样本时可以降低分析的价格，但由此获得的信息一般不如从总体的随机样本中获得的信息多，但有一种情况例外，即在抽样前已花大力气将总体变得均匀。总体的均匀化是困难的，通常只有在为了产生几个具有相似基本特性的子样时，才采用这种方法。

由于选择或产生"代表样本"有一定的困难，且会损失对组分信息的了解，通常情况下建议不采用，仅在有充分的理由要求制备这种样本时才采用。实施一个合适的随机抽样计划能确定样本平均值和样本间变化等有价值的特性，而测量一个"代表样本"则不能获得这些信息。

复合样本可以看作是产生一个代表样本的特殊方式。精心制备固体复合样本的步骤包括成熟的甚至已经标准化的粉碎、研磨、混合和掺和。对于液体（特别是水）已有好几种成熟的抽样系统。通过测量适当制备或收集的复合样本可获得平均值。但因为一个复合样本只提供有限的信息，所以在决定使用复合样本之前要充分考虑后果。

（六）子样

对于单次测定的要求来讲，分析实验所收到的样本一般过大，通常需要从样本中取出所需要的实验部分。为了使结果互相一致，这样的实验部分必须十分相似。在取出实验部分（取子样）之前，常常需要减小颗粒的大小进行混合，或用其他方法处理实验室样本，这一步的工作量取决于原始样本的均匀程度。一般来讲，取子样的标准偏差不应超过抽样标准偏差的 1/3，达到这一水平已相当好了，再要低于这个水平是费时费事的。当然，这并不是说在取子样时可以漫不经心，如果一个实验室样本已很均匀，在取子样时要注意避免引起偏差。

虽然分析测试人员可能不参与样本的收集，但他们应具有足够的抽样理论知识，从而能适当地抽取子样。他们应该了解所收到的样本均匀性的信息，以使他们能适当而有效地抽取子样。

三、样本数（样本容量）的决定

样本的质量对测量结果有重大的影响，同样样本数对测量结果也有很大影响。

一般来说，从总体中抽取的样本越多，检验结果越可靠，实际上抽取过多的样本，既耗能又费时。抽取多少样本才是适宜的呢？原则上应根据测定的目的、总体物料均匀性程度和抽样方式而定。总体物料均匀性程度好的可少抽样本，对均匀性差的物料则要多抽样本。对于产品，应按产品标准的规定进行抽样。

当然，最小的抽样数还可根据不同的测定目的，通过相应的计算来获得。有关计算方法本书不做介绍，可参阅相关文献资料。

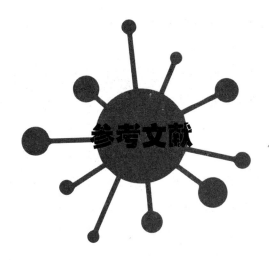

参考文献

［1］周芸，李小兰. 检测实验室管理手册［M］. 南宁：广西人民出版社，2018.

［2］饶远旋，邱思聪. 实验室整体解决方案［M］. 南京：江苏科学技术出版社，2018.

［3］周西林，杨培文，李启华. 化学实验室建设基础知识［M］. 北京：冶金工业出版社，2018.

［4］李宁，冷雪，肖漓. 医学实验室管理与大型仪器使用［M］. 天津：天津科学技术出版社，2018.

［5］王传虎，吕思斌. 实验室安全知识手册［M］. 北京：北京师范大学出版社；安徽：安徽大学出版社，2018.

［6］邹晓川，王跃，任彦荣. 实验室安全管理与规范简明教程［M］. 武汉：华中科技大学出版社，2018.

［7］朱同波. 互换性与测量技术［M］. 哈尔滨：哈尔滨工程大学出版社，2018.

［8］徐秀娟. 公差配合与测量技术［M］. 北京：北京理工大学出版社，2018.

［9］冷元宝. 检验检测机构资质认定内审员工作实务［M］. 郑州：河南人民出版社，2018.

［10］胡照海. 零件几何量检测［M］. 2版. 北京：北京理工大学出版社，2018.

［11］杨爱萍，蒋彩云. 实验室组织与管理［M］. 北京：中国轻工业出版社，2019.

［12］周攀登，孟俐俐，王正朝. 实验室化学安全基础［M］. 成都：电子科技大学出版社，2019.

［13］王孝林，袁延强. 电子衡器与称重技术［M］. 北京：原子能出版社，2019.

［14］余上斌，陈晓钎. 医学实验室安全与操作规范［M］. 武汉：华中科技大学出版社，2019.

［15］苏莉，曾小美，王珍. 生命科学实验室安全与操作规范［M］. 武汉：华中科技大学出版社，2019.

［16］胡静，吴晶，朱亚娟. 实验室安全技术［M］. 天津：天津科学技术出版社，2019.

［17］姜文凤，刘志广. 化学实验室安全基础［M］. 北京：高等教育出版社，2019.

［18］张金川. 科学实验室之路［M］. 北京：地质出版社，2019.

［19］洪生伟. 企业计量工程［M］. 2版. 北京：中国质检出版社，2019.

［20］陆渭林. 计量技术与管理工作指南［M］. 北京：机械工业出版社，2019.

［21］付天坤. 设备质量控制基础［M］. 成都：电子科技大学出版社，2019.

［22］丁百湛. 建筑工程检测技术必备知识［M］. 北京：中国建材工业出版社，2020.

［23］王磊，樊燕鸽，高永琳. 化学实验室管理［M］. 成都：电子科技大学出版社，2020.

［24］万李. 互联网时代实验室安全管理与实践［M］. 长春：吉林大学出版社，2020.

［25］孟敏. 实验室安全管理教育指导［M］. 咸阳：西北农林科技大学出版社，2020.

［26］刘海峰，曾晖，李瑞. 化工实践实验室安全手册［M］. 广州：中山大学出版社，2020.

［27］顾华，翁景清. 实验室生物安全管理实践［M］. 北京：人民卫生出版社，2020. 6.

［28］雷敬炎. 实验室建设与管理研究［M］. 武汉：武汉大学出版社，2020.

［29］安平. 几何和空间尺寸计量原理与检测技术［M］. 哈尔滨：黑龙江大学出版社，2021.

［30］吴汉美，邓芮. 安装工程计量与计价［M］. 重庆：重庆大学出版社，2021.